Franca Ghitti

Franca Ghitti

a cura e con un saggio introduttivo di Elena Pontiggia
edited and with an introductory essay by Elena Pontiggia

SKIRA

In copertina / Cover
Bosco bruciato, anni novanta
Burnt Woodland, 1990s
Installazione, legno bruciato e rete
di ferro / Installation, burnt wood
and wire netting (cat. 43)

Art Director
Marcello Francone

Progetto grafico / Design
Luigi Fiore

Coordinamento redazionale
Editorial coordination
Eva Vanzella

Redazione / Copy editor
Cinzia Morisco
Emilia Estall

Traduzioni / Translations
Richard Sadleir

Crediti fotografici / Photo credits
Ugo Allegri, p. 20 a destra / right
Fabio Cattabiani, pp. 9, 20 a sinistra / left,
21, 52, 53, 56, 57, 60-63, 65-70,
71 a sinistra / left, 73-83, 85-91,
93-95, 97-106, 107, 108 in alto / top,
109, 110, 114 in basso / bottom,
115 in basso / bottom, 116,
117 in alto a sinistra / top left
Lino Montini, pp. 32
in basso / bottom, 113
Manuel Montini, p. 108
in basso / bottom

© 2016 Fondazione Archivio
Franca Ghitti
© 2016 Skira editore, Milano
Tutti i diritti riservati

Printed and bound in Italy.
First edition

ISBN: 978-88-572-3411-3

Finito di stampare
nel mese di novembre 2016
a cura di Skira editore, Milano
Printed in Italy

www.skira.net

Si ringrazia il comitato scientifico
della Fondazione Archivio Franca Ghitti
We thank the scientific committee
of Fondazione Archivio Franca Ghitti:
Cecilia De Carli, Fausto Lorenzi,
Marco Meneguzzo, Margaret Morton,
Elena Pontiggia

Un vivo ringraziamento va a Irene
Cafarelli, che ha seguito con passione
e competenza ogni fase del lavoro
Heartfelt thanks go to Irene Cafarelli,
who followed each step of the work
with passion and competence

Sponsor

Sommario / Contents

Ghitti. The Signs
and the Centuries

Elena Pontiggia

As Derain said, there is only one thing that is more important than to belong to one's own time, and that is to belong to all time. Something similar emerges from Ghitti's achievement. In Val Camonica, where she was born, Franca was surrounded by prehistoric rock carvings, medieval parish churches, the ageless craftwork of sawmills, water-powered trip hammers, and windmills. In Brera, Paris, and Salzburg where she studied, she fell in love with the work of Sironi, Chagall, Dubuffet, Klee and Kokoschka. In Africa, where she lived from 1969–71, she took inspiration from the ancient tribal arts, masks and the syntax-lacking language Swahili, while in Europe she confronted the challenge of Brancusi's *Infinity Column* (and later became acquainted with Richard Long in 1994, despite some similarities in their work even earlier).[1] Her work, in short, expresses the dictum of Ezra Pound, one of the poets she loved most deeply: "All ages are contemporary."
Her art firmly knits together past and present. When you observe her work, it is impossible to separate it from the memory of her experiences (her father's sawmill, Val Camonica, Paris, and Kenya). Yet one should ignore those experiences, so that her artistic language may filter, echo, and leave a legacy throughout the geometry of modernism. Ghitti's world is complex, a melting pot of Western and primitive experiences, art and architecture, repetition and difference. Her sculptures are always a pattern of maps, a collection of signs. She does not seek volume, modeling, or mass, instead surface, panel and page. A look, even a careful one, will not suffice to understand her work. To do that, one must get to know her life, but it is also necessary to dismiss it from one's mind, in order not to turn her work into a literary episode, a mechanical derivation of far too obvious or too restricted genealogies.[2]
Her art teaches us to pay attention to all the things that history—with its many histories—fails to recount. She teaches us how to search for alphabets not found in books, and worlds very different from our own. She teaches us that the hands know things that the mind is unable to comprehend, whilst the language of signs preserves things that words fail to record. She teaches us the value of waste materials, the significance of the anonymous and unadorned gesture, the differences in shapes that look the same.

In exploring the people of her valley, Ghitti gives us, in the end, a Borgesian map of the valley of life. Which is "a vale of tears," as Herman the Cripple wrote. But it also enshrines the traces of things and work, with all their beauty and mystery.

The setting, the valley

In Franca Ghitti's home in Cellatica, Franciacorta, there is still a picture she painted in 1947, when she was fifteen years old. (The house is a great seventeenth century building where silkworms were once raised. She restored it in the 1980s, making it her home and studio.) The painting represents a *Figure Seated by a Fireplace* (fig. 1), in a house in Val Camonica. It is an interesting piece, despite the early date, because it reveals a precocious feeling for compositional masses, constructed with an energetic synthesis. Furthermore, the tautness of the drawing is counterpointed by the accurate rendering of certain details: the iron ladle hanging on the chimney, the flat iron placed on the shelf, and the large metal pot hanging from a chain. The figure is portrayed from behind, but she is not the focus of the composition. She could be a teenager, judging by her slender body and shapely arms, but she could equally be an older woman, given her old-fashioned bun hairstyle. The whole scene, however, does not focus on what risked being a seemly banal depiction: a figure by the fire in the privacy of her own home. It reveals instead a singular interest in the world of objects: things discarded and timeless, sculptures of everyday life, preserved in the museum of a room.
We will return to these points. Meanwhile, it is important to note that, even at this early date, the painter was expressing her desire to become an artist, which for a woman at this point in time in Italy, was still very difficult.
In the postwar period, the youthful Franca began to experience all the reservations, suspicions and ironies that burdened female artists even at that time. In the same years, those who entered Carlo Carrà's teaching room at the Brera Academy would have seen hanging on the walls (photographs exist from the period) a sheet of paper bearing the professor's words: "Women are not suited to art, for they are unable to endure the hardships and sacrifices art requires, for example hunger."
Hence a final, ontological, metaphysical conviction; not just one woman, but all women were

Franca Ghitti
I segni e i secoli

Elena Pontiggia

Diceva Derain che solo una cosa è più importante dell'appartenere al proprio tempo, ed è appartenere a tutti i tempi. Qualcosa di simile si può cogliere nella ricerca di Franca Ghitti. In Valle Camonica, dove è nata, Franca ha guardato alla preistoria delle incisioni rupestri, al Medioevo delle pievi, all'artigianato senza età delle segherie, dei magli, dei mulini. A Brera, a Parigi, a Salisburgo, dove ha studiato, ha imparato ad amare Sironi, Chagall, Dubuffet, Klee e Kokoschka. In Africa, dove ha vissuto tra il 1969 e il 1971, ha dialogato con le millenarie arti tribali, le maschere e la lingua senza sintassi dello swahili, come in Europa si è confrontata con la *Colonna infinita* di Brancusi (mentre conosce Richard Long solo nel 1994, nonostante certe apparenti assonanze anche precedenti)[1]. Ha messo in pratica, insomma, quello che diceva Ezra Pound, uno dei poeti che più amava: "Tutte le età sono contemporanee".
La sua arte annoda strettamente presente e passato. Osservando le sue opere non si può prescindere dal suo diario di esperienze (la segheria paterna, la valle dei camuni, Parigi, il Kenya), eppure quel diario si può anche ignorare, perché il suo linguaggio filtra echi ed eredità attraverso la geometria del moderno.
Quello di Ghitti è un mondo complesso, un crogiolo di esperienze occidentali e primitive, di arte e architettura, di ripetizione e differenza. La sua scultura è sempre un disegno di mappe, una collezione di segni: non cerca il volume, il modellato, la massa, ma la superficie, la tavola, la pagina. Uno sguardo, anche non distratto, non basta a comprendere il suo lavoro. Per capirlo è necessario conoscere la sua vita. Ma è anche necessario dimenticarla, per non trasformare la sua opera in un episodio letterario, in una derivazione meccanica di genealogie troppo evidenti o troppo anguste[2]. La sua arte insegna l'attenzione a tutto quello che la storia, con le sue storie, non racconta. Insegna la ricerca di alfabeti che non si trovano nei libri e di mondi che non coincidono con il nostro. Insegna che le mani sanno quello che la mente non capisce, mentre il linguaggio dei segni custodisce qualcosa che le parole non registrano. Insegna il valore dei materiali di scarto, il significato del gesto anonimo e disadorno, la diversità delle forme che sembrano uguali.
Approfondendo la civiltà della sua valle, Ghitti ci consegna, alla fine, una mappa borgesiana della valle della vita. Che è una valle di lacrime, come scriveva Ermanno lo Storpio. Ma è anche il luogo che racchiude le tracce delle cose e del lavoro, con tutta la loro bellezza, con tutto il loro mistero.

L'ambiente, la valle

C'è ancora, nella casa di Franca Ghitti a Cellatica in Franciacorta (un grande edificio seicentesco dove un tempo si allevavano i bachi da seta, e che lei stessa ha restaurato negli anni ottanta, facendolo diventare la sua abitazione e il suo studio); c'è ancora, dunque, un quadro che aveva dipinto quando aveva quindici anni, nel 1947.
Rappresenta una *Figura seduta davanti a un camino* (fig. 1), in una casa della Valle Camonica. È un lavoro interessante, nonostante l'acerbità della data, sia perché rivela un precoce senso delle masse compositive, costruite con un'energica sintesi, sia perché alla compendiarietà del disegno fa da contrappunto la precisione di alcuni particolari: il mestolo di ferro che pende dal camino, il ferro da stiro posato sul ripiano, la grande pentola di metallo fermata da una catena. La figura è ritratta di schiena, ma non è lei la protagonista della composizione. Potrebbe essere un'adolescente, a giudicare dal corpo snello e dalle braccia tornite, ma potrebbe anche essere una donna più anziana, a giudicare dalla crocchia fuori moda della pettinatura. Tutta la scena, comunque, non si incentra su quello che rischiava di diventare un quadretto di genere: una figura accanto al fuoco nell'intimità della casa. Rivela invece un interesse singolare per il mondo degli oggetti: oggetti dimessi e senza tempo; sculture della vita quotidiana, conservate nel museo povero di una stanza.
Torneremo su queste considerazioni. Notiamo intanto che l'autrice del quadro esprime già a questa data una vocazione artistica, in Italia ancora difficoltosa da seguire per una donna.
Siamo nel primo dopoguerra e la giovane Franca si avvia a sperimentare su di sé tutte le riserve, i sospetti, le ironie che da noi gravavano, ancora in quel periodo, sulle artiste. Negli stessi anni chi fosse entrato nell'aula di Carrà all'Accademia di Brera avrebbe visto appeso alle pareti (esistono fotografie dell'epoca) un foglio che riportava le parole del maestro: "Le donne non sono adatte all'arte, perché non sanno sopportare le privazioni e i sacrifici che l'arte richiede, per esempio la fame".

excluded from the realm of pictorial, sculptural, and architectural expression.[3]

Critics too, with a few exceptions, did not take women artists very seriously. If they displayed their work at exhibitions, critics would lump their work together (as if being a woman was an expressive trend) and paternalistically mention their sensitivity, grace, and pleasant qualities.[4]

The doyenne of Italian painters, Felicita Frai, born in 1909, interviewed by the writer on the presence of women in the art of the first half of the century, exclaimed, "And above all I have to say it took courage, lots of courage! It took courage for a woman to devote herself to painting. Because no one would take you seriously."

Things had changed, but not entirely, when Ghitti appeared on the art scene. This aspect, which we can deem sociological, should not be underestimated, even though we are likely to forget it now that women play a significant part in the art world. Franca, however, was able to count on her family that helped and supported her in the decisions she took, although they didn't fully understand her.

Ghitti was born in 1932 in Erbanno, in Val Camonica. We have already mentioned the "Valley" as she always called it (par excellence, as there was almost only one). Now however, is the time to explore that world a little more, because to the artist it was not just the place where she was born and spent her formative years, but also a chosen land that became the heart of her mental geography. Val Camonica with its signs and traditions, history and prehistory, tools and handicrafts, would always remain one of the fundamental sources of inspiration for Ghitti's sculptures. It would instill a notion of time as not limited to the present, while providing her with a vocabulary of lines and forms, teaching her the language of what is quintessential and concrete. Since prehistory, the Val Camonica was inhabited by nomads. Then from about the Iron Age onwards, in the first millennium before Christ, it became the center of Camunian civilization, as its name indicates. Still of uncertain origin, the Camuni in their long history (from prehistory to early contact with the Etruscans, Romans, and others) left no books or papers, but an encyclopedia in the form of rock carvings. More than 300,000 signs and drawings have been recorded, making the valley the greatest center of rock art in Europe. It is estimated that some 2,000 rocks, scattered over 180 different locations, bear Camunian writing. They are boulders carved with basic figures of men, animals, vegetation, cosmic symbols, weapons, scenes of hunting, farming, and war.

The Val Camonica, however, is more than just prehistoric rock art. Often, and understandably, whilst speaking about Franca, critics have focused on her Camunian ancestry, but in fact these roots, although they run deep, do not exhaust her poetic world.

For centuries the valley has been a center of production, and has always counted woodworking among its resources. This experience (the Ghitti family owned a sawmill, figs. 2–3) played a significant part in her education. Ever since the Middle Ages, a sort of "iron civilization" had flourished in the valley, transforming this part of the territory of Brescia (and, to a lesser extent Bergamo) into a land of forges and trip hammers, where they forged sickles, spades, hoes, as well as armor, battleaxes, helmets, and greaves. The mines of Pisogne, Pescarzo or Fucine, yielded metal that was then cast in furnaces at Bienno, Cedegolo, Malegno (to name only a few locations). Whilst they were casting objects, they also manufactured a wide range of tools to cast them with, with quantities of scrap metal left over from the casting process. Both of these became the subject of reflection and inspiration in the artist's maturity.

Franca's birthplace is a small village whose medieval structure is still apparent. In the lower area of Val Camonica, at the foot of Monte Altissimo and Monte Erbanno, there lies an ancient village that preserves the stone portals carved in the age of the Federici, the Ghibelline dynasty that ruled these lands from the thirteenth to the sixteenth century. Franca's family was wealthy. Her father Francesco had a sawmill that employed 700 workers. However, he was not an entrepreneur in the modern sense, rather a craftsman on a rather grand scale, who spent every day in the large workshop in his sawmill, overseeing production and taking an active part in it.

Her mother, Maria Dolores Giudici, had inherited a hotel in what is now Darfo Boario, a part of Erbanno, well known for its thermal baths. The hotel had a long history, having been established

1. *Figura seduta davanti a un camino / Figure Seated by a Fireplace*, 1947
Olio su tela / Oil on canvas

Dunque una condanna definitiva, ontologica, metafisica: non questa o quella donna, ma tutto il genere femminile era escluso dal regno dell'espressione pittorica, plastica, architettonica[3]. Anche la critica, se si prescinde da qualche eccezione, non prendeva molto sul serio le donne artiste. Se esponevano in qualche mostra ne commentava in blocco la presenza (come se l'essere donna fosse una tendenza espressiva) e parlava paternalisticamente di sensibilità, grazia, piacevolezza[4]. Del resto la decana delle pittrici italiane, Felicita Frai, classe 1909, intervistata da chi scrive sulla presenza femminile nell'arte della prima metà del secolo, esclamava: "E soprattutto dica che ci voleva coraggio, tanto coraggio! Ci voleva coraggio per una donna che intendesse dedicarsi alla pittura. Perché nessuno ti prendeva sul serio". Le cose erano cambiate, ma non del tutto, quando Franca Ghitti si affaccia sulla scena artistica. E questo aspetto, per così dire sociologico, non va sottovalutato, anche se si rischia di dimenticarlo oggi che le donne hanno ormai un ruolo di rilievo nel sistema dell'arte. Franca, comunque, aveva potuto contare nelle sue scelte su un ambiente familiare che l'aveva aiutata e sostenuta, anche senza comprenderla fino in fondo.

Franca Ghitti era nata nel 1932 a Erbanno, in Valle Camonica. Abbiamo già accennato alla "Valle", come lei l'ha sempre chiamata (valle per eccellenza, dunque, quasi ce ne fosse una sola), ma forse è il caso di soffermarsi più a lungo su quel mondo, perché per l'artista non è solo il luogo di nascita e di formazione, ma anche una terra d'elezione che diventa il cuore della sua geografia mentale. La Valle Camonica, infatti, con i suoi segni e le sue tradizioni, la sua storia e la sua preistoria, i suoi utensili e il suo artigianato, rimarrà sempre uno dei motivi di ispirazione fondamentali della scultura di Ghitti. Le suggerirà una nozione di tempo non limitata al presente, e insieme le offrirà un vocabolario di linee e di forme, insegnandole il linguaggio dell'essenzialità e della concretezza.

Fin dalla preistoria, la Valle Camonica era abitata da popolazioni nomadi. Verso l'età del ferro poi, cioè nel primo millennio avanti Cristo, diventa il centro della civiltà camuna, come dice il suo nome. Di origine tuttora incerta, i camuni hanno lasciato nella loro lunga vicenda (dalla preistoria all'epoca dei primi contatti con gli etruschi e i romani, e oltre) non libri e carte, ma un'enciclopedia di incisioni vergate sulla roccia: più di trecentomila segni e disegni che fanno della valle il maggior centro d'arte rupestre in Europa. Si calcola che siano circa duemila le rocce, disseminate in centottanta diverse località, che portano impressi i graffiti camuni. Sono massi istoriati con figure elementari di uomini, animali, vegetazioni, simboli cosmici, armi, scene di caccia, di coltivazione, di guerra.

La Valle Camonica, però, non significa soltanto arte rupestre e preistorica. Spesso, e comprensibilmente, parlando di Franca la critica si è soffermata sulle sue ascendenze camune, ma in realtà quelle suggestioni, pur profonde, non esauriscono il suo mondo poetico.

Centro da secoli di laboriose attività, la valle ha sempre avuto tra le sue risorse la lavorazione del legno e anche quest'esperienza (la stessa famiglia Ghitti possedeva una segheria; figg. 2-3) ha avuto un peso nella formazione dell'artista. In valle fiorisce poi fin dal Medioevo anche una sorta di "civiltà del ferro", che trasforma quella porzione di terra bresciana (e, in piccola parte, bergamasca) in una terra di fucine e di magli, dove si fondevano falci, vanghe, zappe e insieme armature, asce, elmi, gambali. Dalle miniere di Pisogne o di Pescarzo o di Fucine si estraeva il metallo che poi veniva fuso nei forni di Bienno, Cedegolo, Malegno (per citare solo qualche nome). E mentre si fondevano oggetti, si fabbricava anche una panoplia di strumenti per fonderli e si produceva un ventaglio di scarti di fusione: gli uni e gli altri motivo di riflessione e di ispirazione nella stagione matura della scultrice. Il paese natale di Franca è un piccolo borgo che ha ancora una struttura medioevale. Nella bassa Valle Camonica, ai piedi del monte Altissimo e dell'omonimo monte Erbanno, ha sede un antico nucleo abitativo che conserva i portali di pietra intagliata dell'epoca dei Federici, la dinastia ghibellina che dal Duecento al Cinquecento domina quelle terre.

La famiglia di Franca era una famiglia abbiente: il padre, Francesco, possedeva – lo abbiamo detto – una segheria che dava lavoro a settecento operai. Non era però un imprenditore in senso moderno: piuttosto un artigiano, per così dire, ingrandito, che ogni giorno andava lui stesso nella grande bottega della fabbrica a sorvegliare la produzione, anzi a mettervi mano.

La madre, Maria Dolores Giudici, aveva invece ereditato un albergo in quello che è ora Darfo

in 1698 as a brick kiln, as well as a post for
changing horses. Maria's ancestors were Swiss
brick makers, who were perhaps Jewish,
and related to the sculptor Vincenzo Vela.
Franca's varied artisanal ancestry is not irrelevant.
In her father's sawmill, where she loved to stay for
hours on end, she soon learned to understand a
world of shapes, tools, and methods of working
the material that would stay with her forever. Bark,
knots, and heartwood taught her that wood is
alive, not lifeless. Logs, planks, and brackets for
a little girl at the time, were little more than toys,
but they were also a way to penetrate a universe
of visual sensations almost without noticing. Franca
recalls: "As a child I used to play among the boards
that were already sawn and stacked for seasoning.
After being cut, the boards were arranged so they
would not warp. They would be placed with almost
mathematical precision, and organized in a rigid
fashion … Another important factor was that
the boards left to dry had to be stacked crosswise.
This treatment was reserved for the thinnest
boards. It was a beautiful game, helping the
sawyers with their work."[5]
Already at ten years old, Franca would build
small rafts to play on with her two older sisters.
And throughout her life she always vindicated
a hands-on, workmanlike dimension of art.
"We stonecutters," she liked to say, preferring

that humble noun to the more dignified name
of "sculptors."[6] She was convinced that there
existed an intelligence of the hand's touch, a
wisdom of making. Something, in short, that
did not pass first and foremost anything in the
mind, but reached it by starting from the physical
business of handiwork. "Nihil est in intellectu
quod prius non fuerit in manibus," she might
have said, paraphrasing the philosophical saying.
Unsurprisingly, she loved Thomas Mann's idea that
the artist is the ailing version of the craftsman.
"When I speak of *metis* [I mean] this intelligence
of the hands: from smiths to all these [ironworkers]
that I met, they were my wealth," she says of
herself.[7] And again, alluding to the cycle of *Other
Alphabets*, she made an observation that we could
apply to all of her work: "With *Other Alphabets*,
I refer to that inventory of signs, markings, knots,
and smelting pans that I wanted to bring into my
sculptures, aware that they represent a kind of
specific language almost alternative to the alphabet
(it has been for centuries), as used by sawyers,
blacksmiths, carpenters, forgers, millers, shepherds
and peasants."[8]
Her concern with making, however, is merged with
an equal and opposite concern for the conceptual
dimension and educated work. "I cannot conceive
a sculpture without culture," she also used to say.[9]
And, "I do not believe in improvisation.

Boario, sempre parte di Erbanno, una località nota anche oggi per le sue terme. L'albergo era un luogo dalla lunga storia, nato addirittura nel 1698 come fornace, oltre che come posta per il cambio dei cavalli. Gli antenati di Maria erano svizzeri forse un tempo di religione ebraica, parenti dello scultore Vincenzo Vela e, appunto, produttori di mattoni. Non è senza significato questa variegata ascendenza artigianale di Franca. Nella segheria del padre, dove amava fermarsi per ore, impara presto a conoscere un mondo di forme, utensili, metodi per lavorare la materia, da cui rimarrà per sempre segnata. Cortecce, nodi, durami e alburni le insegnano che il legno è qualcosa di vivo, non di inanimato. Tronchi, assi, modiglioni, poi, sono per una bambina poco più che giocattoli, ma sono anche un modo per penetrare, quasi senza accorgersi, in un universo di sensazioni visive. Ricorda Franca: "Da bambina giocavo tra i tronchi già tagliati e sistemati per la stagionatura. Le assi, dopo il taglio, venivano disposte in modo che non si incurvassero: si procedeva alla loro sistemazione con un calcolo quasi matematico, la loro collocazione era organizzata secondo rigide geometrie. [...] Un altro elemento importante era la disposizione secondo una geometria della croce per le assi messe ad asciugare: il trattamento era riservato alle assi più sottili. Era un bellissimo gioco, l'assistere al lavoro dei segantini"[5].

Già a dieci anni, per citare un episodio aneddotico, Franca costruisce piccole zattere per giocare con le due sorelle maggiori. E in tutta la sua vita rivendicherà sempre la dimensione fattuale, "fabrile", dell'arte. "Noi piccapietre" amava dire, preferendo quel sostantivo dimesso al più aulico nome di "scultori"[6]. Era convinta che ci fosse un'intelligenza della mano, una sapienza del fare: qualcosa, insomma, che non passava *in primis et ante omnia* attraverso la mente, ma la raggiungeva muovendo dalla fisicità del manipolare. "Nihil est in intellectu quod prius non fuerit in manibus", avrebbe potuto ripetere, parafrasando il detto della filosofia scolastica. Non a caso amava la concezione di Thomas Mann secondo cui l'artista è la declinazione malata dell'artigiano. "Quando parlo di *metis* [intendo] questa intelligenza delle mani: dai fabbri a tutti questi [lavoratori del ferro] che ho incontrato, sono stati la mia ricchezza" dirà lei stessa[7]. E ancora, alludendo al ciclo degli *Altri alfabeti*, ma con una riflessione che può valere per tutta la sua ricerca: "Con *Altri alfabeti* mi riferisco a quell'inventario di segni, tacche, nodi, coppelle che ho voluto portare nella mia scultura, consapevole che essi rappresentano una sorta di lingua specifica quasi alternativa all'alfabeto (per secoli lo è stata), usata da segantini, fabbri, carpentieri, fucinieri, mugnai, pastori e contadini"[8]. L'attenzione al fare si fonde però con un'attenzione uguale e contraria alla dimensione concettuale e colta dell'opera. "Non concepisco una scultura senza cultura" diceva anche[9]. E: "Non credo nell'improvvisazione. Un'opera è il risultato

3. Particolare della segheria paterna, Erbanno, Valle Camonica / Detail of the family sawmill, Erbanno, Val Camonica

Work is the result of lengthy meditation, a process of understanding that lasts a lifetime."[10]

Formative years and pictorial beginnings

Despite the warm and comfortable environment she grew up in, Franca did not have an idyllic childhood. Although her mother gave her a great deal of affection, and Franca will always have a deep attachment to her, she entrusted a mute housekeeper (a foundling adopted by her grandmother) to care for her, and as a result as a child she had speech issues. She spent many hours sitting silently, and many others in the noisy but speechless din of the sawmill. Perhaps her interest in languages as alternative forms of speech was rooted in this experience. At any rate, as a child she was introduced to the world of art in a very common way: one of her father's employees gave her a box of paints.

Meanwhile, she attended primary school in Erbanno and secondary school in Iseo, and soon after moved to Milan, where she enrolled in the art school run by Ursuline nuns in Via Lanzone, renowned for the precision and seriousness of their teaching. Around 1950–51 she enrolled at the Brera Academy and at the same time or a little later (it is not known exactly in what order), enrolled in the School of Architecture, attending for a few years to appease her father.

At Brera, her teacher was Gino Moro (1901–1977), the exponent of a Lombard naturalism that in the 1930s had been close to the Novecento movement, and then in mid-century, became tinged with a subtle emotional tension, although never breaching as far as Expressionism. In the 1950s, Moro became receptive to Art Informel, especially its brightness and freedom of color.

When Franca enrolled at the Academy, it was still the period when Brera resembled a kind of large studio. Many of those enrolled, fewer than 200 in total, were not general students, but future artists, or at least people with an expressive and creative talent. As for the teachers, the one with the greatest reputation was Marino Marini, for whom Franca always professed deep admiration.[11] His sculpture seems to have left no trace on the young artist's personality. Yet she may have been influenced by the mixture of archaism and modernity that emerged in his works, "I am an Etruscan" as he liked to say. She was certainly interested in the skeletal line into which Marino in this period often translated his horses and riders. Ghitti's cultural education, however, was enriched by other sources. At first she was interested by the work of Sironi ("The blackest and most roughcast Sironi, studied at length in her years at Brera," we learn from Elda Fezzi, one of the critics closest to the artist in this early period).[12] She also became friends with Luigina De Grandis, a Venetian painter who was a pupil of Saetti and Guidi, the future author, among other things, of a successful manual

4. Franca Ghitti nello studio di Erbanno, primi anni settanta / Franca Ghitti at her studio in Erbanno, early 1970s

di una lunga meditazione, di un processo di conoscenza che dura tutta la vita"[10].

La formazione e gli esordi pittorici

Nonostante l'ambiente caldo e confortevole che la circonda, Franca non ha un'infanzia idilliaca. La madre, che pure non le fa mancare il suo affetto e a cui sarà sempre legatissima, la affida alle cure di una governante muta (una trovatella adottata dalla nonna) e la bambina parla con ritardo. Passa molte ore seduta, in silenzio, e altrettante nel rumore senza parole della segheria. Forse il suo interesse per i linguaggi non "ufficiali" si radica anche in queste esperienze. Comincia comunque fin da piccola a disegnare, secondo il più classico degli incipit: un operaio della ditta paterna le regala una scatola di colori.

Intanto inizia a frequentare le scuole primarie a Erbanno e le secondarie a Iseo e, subito dopo, si trasferisce a Milano dove si iscrive al liceo artistico delle suore Orsoline di via Lanzone, famose per il rigore e la serietà del loro insegnamento. Intorno al 1950-1951 si iscrive all'Accademia di Brera e nello stesso tempo o poco più tardi (non si sa precisamente in che ordine), alla facoltà di Architettura, che segue per qualche anno per obbedire al desiderio del padre.

A Brera ha come maestro Gino Moro (1901-1977), esponente di un naturalismo lombardo che negli anni trenta era vicino al "Novecento" e ora, alla metà del secolo, si era venato di una sottile tensione emotiva, senza però approdare all'espressionismo. Alla fine degli anni cinquanta Moro si aprirà alle suggestioni dell'informale, soprattutto nell'accensione e nella libertà del colore.

Quando Franca si iscrive all'accademia erano i tempi in cui Brera assomigliava ancora a una sorta di grande atelier: una larga parte dei suoi iscritti, che non arrivavano a duecento, non erano studenti generici, ma futuri artisti, o almeno persone dotate di talento espressivo e creativo. Quanto ai maestri, la figura di maggior grido era Marino Marini, per cui Franca professerà sempre una profonda ammirazione[11]. La sua scultura non lascia apparentemente una traccia sulla personalità della giovane. Forse però può interessarle la mescolanza di arcaicità e modernità che affiora nelle sue opere ("Io sono un etrusco" amava dire l'artista pistoiese). E certo le interessa la linea scheletrita in cui spesso, in questo periodo, Marino traduce i suoi cavalli e i suoi cavalieri.

La formazione culturale di Ghitti, comunque, si arricchisce di altri stimoli. In primo luogo si interessa all'opera di Sironi ("Il Sironi più nero e calcinoso, studiato a lungo negli anni di Brera" ci informa Elda Fezzi, uno dei critici più vicini alla prima stagione dell'artista)[12]. Diventa amica, inoltre, di Luigina De Grandis, una pittrice veneziana allieva di Saetti e di Guidi, futura autrice, tra l'altro, di un fortunato

5. Attrezzi di falegname, collezione dell'artista / Carpenter's tools, collection of the artist

6. Franca Ghitti a Parigi mentre studia
all'Académie de la Grande Chaumière, 1957
Franca Ghitti in Paris whilst studying at the
Académie de la Grande Chaumière, 1957

titled *Theory and Use of Color*. Often, especially in summer, Ghitti would visit her in Venice. Here she also frequented the studio of Mario Marabini, Luigina's husband, who had studied under the same professors. Her pictorial beginnings, naturally left an imprint on her work. Her sculptures would always be predominantly two-dimensional: a sculpture of lines and planes, rather than modeling and volume. It is no coincidence, however, that when she exhibited for the first time in a summer solo show at Boario Terme in September 1954, she presented not only paintings, but also engravings on clay, intarsias, and ceramics, signs of a sculptural sensibility that did not take long to emerge. Franca was then twenty-two. Her work, still maturing, turned somewhat belatedly to the themes dear to the realism of the postwar period. Working people, above all (*Sowers*, *Women Kneading*, *Miners*), as well as nudes, interiors and landscapes. Hers was a sorrowful and resigned world, and it is significant that from then on its focus was on the theme of labor. "Franca Ghitti observes and is mainly inspired by the lives of working people, lives conceived almost as a curse, in which work is no longer a source of satisfaction but an unjust verdict," noted a local newspaper.[13] Leaving aside its perhaps excessive conclusions, the article precociously identified a central component of Franca's work: her concern for workers would be transformed into a concern for the signs and tools of work, but still it remained a vital part of her achievement. During this time, the young artist also began teaching. She was a supply teacher in schools in Val Camonica and in remote villages, and this gave her an opportunity to discover the medieval churches and chapels, adorned by "provincial" art, as Bianchi Bandinelli designated it collectively, which from the late classical period stretched to the threshold of the Renaissance. Franca recalls: "I had started to become aware of the world of the Valley whilst supply teaching in secondary schools, when I would shuttle between Milan and the Valley. I then discovered my interest in the early Romanesque, ... which I was able to see first hand, drawing fountains, bell towers, and portals."[14] At the same time she organized evening drawing classes for inlayers and marquetry workers, who were struggling to keep the tradition of craftsmanship alive, and that soon after would

be almost lost during the period of the economic miracle (and sudden and sometimes vulgar modernization) in Italy.

From Paris to Salzburg. Engravings and paintings (1955–65)

In the mid-1950s, Ghitti held her first major exhibitions, including summer solo exhibitions at Boario Terme, and other more significant opportunities that followed. In 1955 she was invited to showcase her work at the Milan Biennale at the Palazzo della Permanente (a fairly important event at the time), and in 1956 took part in the Premio San Fedele. At that time, under the intelligent guidance of Fr. Arcangelo Favaro, it had become receptive to contemporary art and was particularly interested in the young artists of existential realism.

Franca was then studying at Darfo, in the attic of the hotel run by her sisters. The room "was filled with the picturesque disorder typical of artists. Cartoons and canvases were heaped up in every corner, and on the easel the latest painting based on a hectic structure of lines," noted Giannetto Valzelli in the *Giornale di Brescia*.[15]

A year later, a scholarship allowed her to make her first trip to Paris, where she attended the Académie de la Grande Chaumière (fig. 6). This was a legendary avant-garde school in the heart of Montparnasse (where Bourdelle had taught and Modigliani studied, and where Zadkine, the star of Cubist sculpture, still held classes). But the Académie no longer deserved the fame that had surrounded it earlier in the century. For Franca, however, her stay in Paris was above all an opportunity to get to know the vitalistic Art Informel of CoBrA, Fautrier's existential art, Chagall's visionary primitivism, and Dubuffet's Art Brut. She also spent many hours at the Trocadero, where the Musée de l'Homme enabled her to travel through space and time. She observed Paleolithic and Neolithic art, the sculptures of African and Oceanic civilizations, and rediscovered in those tools, carvings and masks, similarities between them and the signs that she had seen in her own Val Camonica. The grandeur of modern Action Painting was intertwined in this way with prehistoric and primitive art, enabling her to supersede the opposition between abstraction and figuration, at that time very rigid in Italy.

manuale su *Teoria e uso del colore.* Spesso, soprattutto d'estate, si reca da lei a Venezia. Qui frequenta anche lo studio di Mario Marabini, marito di Luigina e allievo degli stessi maestri. Gli esordi pittorici, del resto, lasciano un'impronta sul suo lavoro. La sua scultura sarà sempre prevalentemente bidimensionale: scultura di linee e piani, più che di plasticità e volume. Non è un caso, comunque, che quando espone per la prima volta, in una personale "estiva" a Boario Terme nel settembre del 1954, non presenti solo quadri, ma anche incisioni su plastilina, intarsi, ceramiche, segno di una sensibilità plastica che non tarderà ad affiorare.

Franca aveva allora ventidue anni. Le sue opere, ancora acerbe, affrontavano con qualche ritardo i temi cari al realismo del dopoguerra: operai soprattutto (*Seminatori*, *Impastatrici*, *Minatori*), oltre a nudi, interni e paesaggi. Era un mondo doloroso e rassegnato, il suo, ed è significativo che fosse incentrato fin da quel momento sul tema del lavoro. "Franca Ghitti guarda e si ispira principalmente alla vita della gente che lavora, una vita concepita quasi come maledizione in cui il lavoro non è più fonte di soddisfazione ma un'ingiusta condanna" nota un giornale locale[13]. Al di là delle conclusioni, forse eccessive, l'articolo individua precocemente un elemento centrale dell'opera di Franca: l'attenzione ai lavoratori si trasformerà nell'attenzione ai segni e agli strumenti del lavoro, ma rimarrà viva nella sua ricerca.

In questo periodo la giovane artista inizia anche a insegnare. Assume incarichi di supplenza nelle scuole della Valle Camonica, in paesi non sempre facili da raggiungere, ma l'insegnamento le offre anche l'occasione di scoprire pievi e chiese medioevali, ornate da quell'arte "provinciale", come la definisce globalmente Bianchi Bandinelli, che dalla tarda classicità giunge fino alle soglie del Rinascimento. Ricorda Franca: "Avevo cominciato a prendere consapevolezza del mondo della Valle quando, per alcune supplenze negli istituti secondari, facevo la spola tra Milano e la Valle. Allora scoprivo il mio interesse per il romanico minore […] che toccavo con mano, disegnando fontane, campanili, portali"[14].

Intanto organizza lei stessa qualche corso serale di disegno per intagliatori e intarsiatori, sforzandosi di tenere viva la tradizione artigianale che poco dopo, nell'Italia del miracolo economico (e di una modernizzazione brusca e talvolta triviale), sarebbe quasi scomparsa.

Da Parigi a Salisburgo. Incisioni e dipinti (1955-1965)

Alla metà degli anni cinquanta Ghitti compie le prime esperienze espositive di rilievo. Alle personali "estive" a Boario Terme si affiancano opportunità più significative, perché nel 1955 viene invitata alla Biennale di Milano alla Permanente (una manifestazione allora di qualche importanza) e nel 1956 partecipa al Premio San Fedele che in quel periodo, sotto la guida intelligente di padre Arcangelo Favaro, si apriva all'arte contemporanea e dava spazio in particolare ai giovani del realismo esistenziale. Franca aveva allora lo studio a Darfo, nella soffitta dell'albergo familiare diretto dalle sorelle. Il locale "raccoglie il pittoresco disordine proprio degli artisti. Cartoni e tele affastellati in tutti gli angoli e sul cavalletto l'ultimo quadro impostato su una frenetica struttura di linee" annota Giannetto Valzelli sul "Giornale di Brescia"[15].

Un anno dopo, grazie a una borsa di studio, compie il primo viaggio a Parigi, dove frequenta l'Académie de la Grande Chaumière (fig. 6). Luogo leggendario dell'avanguardia, nel cuore di Montparnasse, l'Académie (dove aveva insegnato Bourdelle e aveva studiato Modigliani, e dove ancora teneva i suoi corsi un protagonista della scultura cubista come Zadkine) non meritava più la fama che l'aveva circondata all'inizio del secolo. Per Franca, comunque, il soggiorno a Parigi è soprattutto l'occasione per conoscere da vicino l'informale vitalistico del gruppo CoBrA e quello esistenziale di Fautrier, il primitivismo visionario di Chagall e l'art brut di Dubuffet. Molte ore le trascorre anche al Trocadéro, dove il Musée de l'Homme le consente di compiere viaggi nello spazio e nel tempo. Vede l'arte paleolitica e neolitica, la scultura dei popoli africani e oceanici, e ritrova in quegli utensili, in quegli intagli, in quelle maschere qualcosa dei segni che aveva già visto nella sua Valle Camonica. Le suggestioni della pittura moderna di gesto e materia si mescolano così a quelle dell'arte preistorica e primitiva, permettendole tra l'altro di superare la contrapposizione, allora in Italia rigidissima, fra astrattismo e figurazione.

Da quel crogiolo di influssi e fascinazioni nasce, intorno al 1960, il ciclo di incisioni *Pagine di pietra*.

7. *Racconti del vecchio*, anni cinquanta
Tales of the Old Man, 1950s
Olio su tela / Oil on canvas

That crucible of influences and fascinations gave rise, in around 1960, to the cycle of engravings *Stone Pages*. Paper became a slab, a plaque, or a flint pillar, and on its surface were laid lines and incisions coalescing at points into the shape of a *Scored Figure*. At first glance, these panels seemed to relate mainly to the research on the sign that pervaded Italian and European art at the turn of the decade, i. e. in the period of the transition from Art Informel to post-Informel, when the tangles and the materiality of dribbled paintwork of the first gave way to the more rarefied handling of the latter.

Of course, this is also present in Franca's work. But what most concerned her in those engravings, was the sense of writing. Ghitti's signs are always syllables scoring a page or a map, forming an imaginary book. What interested her about the past was the present: the persistence of traces of what had been, which the tenacity of today preserves, recovers, and rediscovers.

With this baggage of stimuli and ideas, in 1961, or more likely in 1963 (the date is uncertain and accounts diverge), Franca went on another journey, this time to Salzburg, where she attended engraving courses at the Internationale Sommerakademie für bildende Kunst, directed by Oskar Kokoschka. This was the last phase of her education, as by then Franca was around thirty years old, and the pictorial energy of the elderly Expressionist master could hardly have left her indifferent. To understand this, one only need look at the works that the young artist created in this period. In the cycle of engravings on *Ancient Signs*, early 1960s, she drew principally on Hartung in the violence of the line (fig. 8). But in the cycle of paintings she created in around 1964–65 she looked to Dubuffet, Chagall and notably Kokoschka, echoes of whose work mingles with that of Marino in the dislocated and primordial horses. This gave rise to a family of coarse, stunned figures, inured to effort, poverty, living with animals, but also capable of tenacious suffering, a humble dignity.

One observer of this period recounts: "You could easily find her [Ghitti] after work, in the smoky taverns of the small villages in her valley. The old men would recount the things that other oldsters had told them around a table or in front of a fireplace as large as a wall. And Franca would listen: in corduroy trousers smeared with paint, a rather frayed high-necked sweater, and short hair. Absorbed, without taking notes."[16]

There may be some rhetoric in accounts like this one, which is very vivid. Although it is true that Ghitti's work should not be confused with formalism, as she was never interested in mere exercises of style. It is also true that her vocabulary has nothing content-based about it, because it is rooted, and indeed fits completely (it should be said, without any evolutionary emphasis), into the experience of modernism.

We can explain this point more clearly. The artist's inspiration comes, as we have seen, from the world of the elements and voices of her homeland. So *Ancient Signs* recalls prehistoric engravings, the traces left by time. The *Frisei* cycle (1962–63) evokes the ancient figures, perhaps connected with archaic fertility rites, or with Fescennine mockery, drawn with chalk on house doors in various villages in the valley (though today they only remain in Pescarzo). In this way, the series of *Camunian City Quarters* (1964–65) is linked to huts in the same villages, barred against each other, with square windows cut into the walls and the streets with white stones. So *The Old Man's* Stories (also 1964–65) are inspired by tales passed down orally from father to son.

All these subjects, however, translate into a style without which the "little old world" would remain a literary narrative. *Camunian City Quarters*, for example, reflects Nicolas de Staël's color forms, dense pigments and enameled colors. De Staël, who tragically died in Antibes in 1955, was commemorated in Turin in 1960 with an exhibition that influenced a whole generation of Italian artists. Ghitti showed that she had also absorbed this in her villages and maps. Yet her rhythmic sense of the grid, almost a modern form of centuriation, is also related to Klee: she loved him for his aesthetic, for being "something abstract with a few memories."

Franca's love for the Valley, however, should not be confused with a superficial feeling, a crepuscular melancholy, an intimate emotion, or even with the quest for the supposedly innocent gaze of neanderthals. Hers was an impassioned intellectual impulse, as a scientist rather than a *laudator temporis acti*, which prompted her to study, learn, and seek. What interested her about

8. *Antichi segni*, primi anni sessanta
Ancient Signs, early 1960s
Incisione su lastra di zinco / Engraving
on zinc plate

La carta diventa una lastra di selce, una lapide, una stele, e sulla sua superficie si depositano righe e scalfitture che si coagulano a tratti in una sagoma, in una *Figura graffiata*. A prima vista queste tavole sembrano riallacciarsi soprattutto alla ricerca sul segno che percorre l'arte italiana ed europea al volgere del decennio, nel momento di transizione dall'informale al postinformale: quando cioè ai grovigli e alla matericità grondante dell'uno si sostituisce una stesura più rarefatta.

Certo, c'è anche questo nell'opera di Franca. Ma ciò che più le preme, in quelle incisioni, è il senso della scrittura. I segni di Ghitti sono sempre sillabe che vergano una pagina o una mappa, e che compongono un libro immaginario. Quello che le interessa del passato è il presente: la persistenza delle tracce di ciò che fu, e che l'ostinazione dell'oggi conserva, ricovera, riscopre.

Con questo bagaglio di stimoli e di idee, dunque, nel 1961 o, più probabilmente, nel 1963 (la data non è certa e le testimonianze non sono univoche), Franca compie un nuovo viaggio: questa volta a Salisburgo, dove segue i corsi di incisioni alla Internationale Sommerakademie für bildende Kunst, diretta da Oskar Kokoschka. È l'ultimo momento della sua formazione (Franca è ormai intorno ai trent'anni) e non deve lasciarla indifferente la veemenza pittorica dell'anziano maestro espressionista. Per comprenderlo basta osservare le opere che la giovane artista realizza in questo periodo. Nel ciclo di incisioni sugli *Antichi segni*, primi anni sessanta, si riallaccia soprattutto ad Hartung nella violenza della linea (fig. 8). Invece nel ciclo di dipinti che nascono intorno al 1964-1965 guarda a Dubuffet, a Chagall e appunto a Kokoschka, i cui echi si mescolano a quelli di Marino nei cavalli slogati e primordiali. Nasce così una famiglia di figure goffe e stupefatte, assidue alla fatica, alla miseria, alla promiscuità con gli animali, eppure capaci anche di affetti tenaci, di una dimessa dignità.

Racconta un testimone dell'epoca: "Basterebbe andarla a cercare [Franca Ghitti] dopo il suo lavoro, nelle osterie fumose dei piccoli paesi della sua valle. I vecchi raccontano le cose che altri vecchi raccontarono loro, intorno a un tavolo o davanti a un camino grande come una parete. E Franca ascolta: pantaloni di fustagno imbrattati di colore, maglione dal collo alto un poco a sbrindellone, capelli corti. Assorta, senza prendere appunti"[16].

C'è forse qualche retorica in testimonianze come questa, pur così vivaci. Perché se è vero che il lavoro di Ghitti non va confuso con il formalismo, e a interessarla non sono mai meri esercizi di stile, è vero anche che il suo linguaggio non ha nulla di contenutistico, perché affonda le radici, anzi si colloca totalmente (sia detto, si intende, senza alcuna enfasi evoluzionista) nell'esperienza del moderno.

Ci spieghiamo meglio. L'ispirazione dell'artista nasce, lo abbiamo visto, dal mondo di forme e di voci della sua terra. Così gli *Antichi segni* rimandano alle incisioni preistoriche, alle tracce lasciate dal tempo. Così il ciclo dei *Frisei*, 1962-1963, evoca le figure secolari, legate forse ad arcaici riti di fecondità, forse a irrisioni fescenniniche, tracciate con il gesso sui portoni di vari paesi della valle (anche se oggi sono rimaste solo a Pescarzo). Così la serie delle *Contrade camune*, 1964-1965, si riallaccia alle baite degli stessi paesi, asserragliate l'una contro l'altra, con le finestre quadrate ritagliate nei muri e le stradine bianche di sassi. Così i *Racconti del vecchio*, sempre del 1964-1965, si ispirano a narrazioni tramandate oralmente di padre in figlio.

Tutti questi soggetti, tuttavia, si traducono in uno stile senza il quale quel "piccolo mondo antico" rimarrebbe una narrazione letteraria. Le *Contrade camune*, per esempio, risentono delle forme-colore di de Staël, della loro materia cromatica densa e smaltata. De Staël, d'altra parte, scomparso tragicamente ad Antibes nel 1955, era stato ricordato a Torino nel 1960 con una mostra che aveva influenzato un'intera generazione di artisti italiani, e anche Ghitti mostra di tenerne conto nei suoi paesi e nelle sue mappe. Il suo senso ritmico della quadrettatura, quasi una centuriazione moderna, si lega però anche a Klee, di cui ama la poetica, il suo essere "un astratto con qualche ricordo".

L'amore di Franca per la "Valle", comunque, non va confuso con un sentimento epidermico, una malinconia crepuscolare, un'emozione intimista, e nemmeno con la ricerca del presunto "sguardo innocente" dei primitivi. Il suo è un appassionato slancio intellettuale, da scienziata più che da *laudator temporis acti*, che la porta a studiare, ad approfondire, a ricercare. Della valle le interessano gli utensili, i diversi aspetti del lavoro artigianale, ma anche le leggende, il dialetto, i canti, i proverbi:

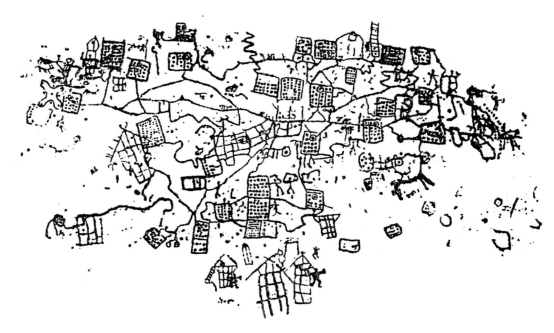

the valley were the tools, the different aspects of craftsmanship, legends, dialect, songs, and proverbs. Everything that testified to a culture and a tradition that books had never been able to record. In 1963, soon after her Austrian experience, she founded a center for Camunian crafts, which was meant to become a sort of miniature Bauhaus. "With the kind of passion that is unusual for our time, she trains youthful artists/artisans in a school of Camunian crafts. She then roughs out sketches for the students and they carry them out them on compact blocks of wood. The results are works that are primitive and fresh, always with a hint of mystery, unconscious awareness, nostalgia and fear," recounted a reporter.[17]

In 1963 she also became friends with Emmanuel Anati and collaborated in the founding of the Camunian Center of Prehistoric Studies in 1964 in Capo di Ponte, in the heart of Val Camonica (fig. 10). Anati, Tuscan by origin and a Jewish, was then only thirty-four, two years older than Franca, and was set to become one of the leading international authorities in prehistoric archaeology. His wife Ariela Friedkin and enthusiasts such as Battista Maffessoli accompanied him. They were close friends, and Franca spent hours researching and discussing with them, which eventually influenced her work as an artist. Later in life she recalled: "I think my interest in the maps that I saw in the rock carvings at Capo di Ponte also came out of my encounter with Battista Maffessoli. That was in the 1960s. I spent a lot of time with Emmanuel [Anati] and Ariela [Friedkin], and other friends. With them I became enthusiastic about the project of founding the Study Center. In those years I remember we used to do a lot of walking, and Battista would guide us. He was an extraordinary sleuth. He would sniff out and raise patches of moss, torn between the pride of showing his finds and jealousy at sharing with other people things that he felt were his own. We read and interpreted the signs, and followed the tracks that Battista showed us, which often lead to real discoveries."[18]

The rock carnings (fig. 9) were the sources of ispiration for the *Camunian Maps*, which Franca executed in the mid-1960s. She translated the patterns of irregular rectangles into wood that appear in the areas known almost by the same name as *Camunian City Quarters*. The *Maps* are surfaces marked by grids, loops, small circles, and scratches, just as if they were maps of an imaginary village in the valley, expressing everything unknowable about them. Franca collected fragments of wood in sawmills and old barns, exploiting their chips, flaws, and irregularities. They were the first phases of an interest in sculpture that became increasingly clear, and that would mark a turning point in her research.

The choice of sculpture. The *Vicinie*

On the *Maps*, Franca was not satisfied with the two-dimensional surface. Sometimes the work would become a magic box, or rather a sort of magic relief (cat. no. 1). A window projecting

tutto ciò che testimonia una civiltà e una tradizione che i libri non hanno saputo registrare. Fonda anche nel 1963, subito dopo l'esperienza austriaca, un Centro per l'artigianato camuno, che nelle intenzioni avrebbe dovuto diventare una sorta di Bauhaus in miniatura. "Con amore sconosciuto ai nostri tempi, alleva ragazzi-artisti-artigiani. Nella scuola di artigianato camuno, appunto. Lei gli prepara il bozzettino. Gli allievi su un blocco compatto di legno eseguono. Ne escono opere primitive e fresche, sempre con una frangia di mistero, di inconscia consapevolezza, di nostalgia e di paura" ci informa un cronista[17].

Nello stesso 1963 stringe amicizia con Emmanuel Anati e collabora alla fondazione del Centro Camuno di Studi Preistorici, che nasce nel 1964 a Capo di Ponte, nel cuore della Valle Camonica (fig. 10).

Anati, toscano di origine ed ebraico di religione, aveva allora solo trentaquattro anni, due più di Franca, e si avviava a diventare una delle massime autorità internazionali nell'ambito dell'archeologia preistorica. Accanto a lui c'erano sua moglie Ariela Friedkin e appassionati come Battista Maffessoli: amici stretti con cui Franca trascorreva ore di ricerca e di discussione che poi influenzavano anche il suo lavoro d'artista. Ricorda lei stessa, in una testimonianza tarda: "Credo che il mio interesse per le mappe che vedevo nelle incisioni rupestri di Capo di Ponte sia nato anche dal mio incontro con Battista Maffessoli. Erano gli anni sessanta, passavo molto tempo con Emmanuel [Anati] e Ariela [Friedkin] e con altri amici e mi entusiasmavo con loro al grande progetto della fondazione del Centro studi. Di quegli anni ricordo che si camminava tanto, e Battista ci guidava. Segugio straordinario, annusava e alzava lembi di muschi, combattuto tra l'orgoglio di mostrarli e la gelosia di dividere con altri qualcosa che sentiva propria; e si leggevano e interpretavano segni, e si seguivano tracce che Battista indicava e che spesso lo portavano a vere e proprie scoperte"[18].

I disegni rupestri (fig. 9) le ispirano appunto le *Mappe camune* della metà degli anni sessanta, in cui traduce nel legno le composizioni a rettangoli irregolari che compaiono nelle quasi omonime *Contrade camune*. Le *Mappe* sono superfici segnate da quadrettature, asole, piccoli cerchi, escoriazioni, appunto come fossero cartografie di un immaginario paese della valle, di cui esprimono

tutta l'inconoscibilità. L'artista raccoglie i frammenti di legno nelle segherie e nelle vecchie barchesse, sfruttandone le sbrecciature, i guasti, le rugosità. Sono i primi momenti di un interesse per la scultura che diventa sempre più preciso, e che segnerà un punto di svolta nella sua ricerca.

La scelta della scultura. Le *Vicinie*

Nelle *Mappe* Franca non si accontenta della superficie bidimensionale. A volte l'opera diventa una scatola magica, anzi una sorta di "rilievo magico": una finestra aggettante quel tanto che basta per ospitare fili di ferro, chiodi, trucioli, mollette da biancheria (cat. 1). È un povero corredo di *objets trouvés* contadini: memoria di un'economia arcaica, parsimoniosa per necessità, dove ogni cosa, anche un chiodo, va tenuta da conto.

Sentiamo però l'artista stessa: "Avviate negli anni sessanta, le *Mappe* sono una ricerca su cui sono tornata più volte [...]. Credo di aver iniziato giocando: segnavo linee di confine sulla terra, inconsapevolmente rifacevo i limiti dei campi, tracciavo la geometria delle coltivazioni, i muretti divisori delle proprietà, il paesaggio nel quale sono cresciuta. [...] Le mie mappe sono soprattutto pagine dove si trascrive la vicenda di un paesaggio, di una presenza: quella umana. [...] Negli anni sessanta credo di essere stata attirata dalle mappe che vedevo nelle incisioni rupestri della Val Camonica. Trovavo in quelle mappe un esempio di quel senso plastico che si affida allo spazio piano e scarta il tutto tondo, che è stata una delle direzioni della mia ricerca"[19].

Commenta Elda Fezzi, uno dei primi critici che si occupano dell'opera di Franca: "La tavola lignea è [...] come un'insegna, un tracciato araldico che presenta soprattutto la propria povertà, le abrasioni, le consunzioni, le giunture faticose e che pure provano l'esistenza di un lavoro"[20].

Al ciclo delle *Mappe* segue il ciclo dei *Rituali*, dove le tavole sono punteggiate da un rosario di chiodi (cat. 4). "Appaiono tracce di mestieri e di utensili. Un lieve magnetismo avvicina rovine minime, chiodi, rotelle, brandelli di reti, e l'insieme acquista una vaga idea di sedimento sorpreso sotto la superficie del suolo, quasi il rimasuglio di un focolare, di un falò, di un arnese e di un simbolo che sia rimasto schiacciato da costruzioni successive" scrive ancora Elda Fezzi[21].

10. Con Emmanuel e Ariela Anati, primi anni sessanta, al tempo della fondazione del Centro di Studi Preistorici / With Ariela and Emmanuel Anati, early 1960s, at the time of the foundation of the Center for Prehistoric Studies

11. Franca Ghitti durante l'allestimento della mostra al Museo Diocesano di Milano, 2005
Franca Ghitti during the installation of the exhibition at the Diocesan Museum, Milan, 2005

12. Franca Ghitti fotografata da Ugo Allegri
Ghitti photographed by Ugo Allegri

just enough to contain wires, nails, shavings, and clothes pegs, a poor collection of rustic *objets trouvés*. The memory of an archaic economy, thrifty by necessity, where everything, even a nail, had to be cherished.

But we can listen to the artist's own words: "From the 1960s onwards, the *Maps* was a study to which I returned several times ... I think I went about it playfully. I marked the boundary lines on the land, unknowingly redrew the limits of the fields, traced the geometry of crops, the dividing walls of properties, the landscape in which they had sprung up. ... My maps are essentially pages on which the history of a landscape is transcribed, a presence: a human one. ... In the 1960s I think I was attracted by the maps that I saw in the rock carvings in Val Camonica. In those maps I found an example of that sculptural sense that works with flat space and discards everything that is round, which was one of the directions of my research."[19]

Elda Fezzi, one of the first critics to deal with Franca's work, observed: "The wooden board is ... like an insignia, a heraldic outline, which presents above all its poverty, abrasions, dilapidation, and laboriously carved joints, which also prove the existence of the work."[20]

The *Map* cycle was followed by the cycle of *Rituals*, in which the boards were dotted with rows of nails (cat. no. 4). "They appear like the traces of crafts and tools. A slight magnetism unites minimal ruins, nails, cogwheels, scraps of metal mesh, and the whole thing becomes a vague idea of sediment caught below the soil's surface, almost the remnant of a hearth, a beacon fire, a tool and a symbol, that has been crushed by subsequent constructions," Elda Fezzi writes.[21]

These are pages that grew out of a deeply felt lyricism. But they are not combined with pages that, in addition to "resounding with meanings," to quote Foscolo, also analyze the concrete aspect of her work, its stylistic aspects. This has only been done recently in Ghitti's critical reception. In fact, *Rituals* is the first work in which her enumerative and serial tendency appears.

Nails had fascinated Franca since childhood. She herself recalled: "After the war, [in the sawmill] my father introduced the fabrication of packing crates and pallets. This process, which used nails of all sizes, would pass into my sculpture, where the use and shape of the nail are crucial."[22] Beyond private memories though, nails with their rounded, knurled heads, engraved with a grid pattern like a seal, are deliberately replicated objects that create the repetition of identicalness on the boards. Compositions made out of repeated elements were common in art between the late 1950s and early 1960s. Excluding the magma of brushstrokes, typical of Art Informel, art now sought rhythm, scansion, and precision. Abandoning the uniqueness of gesture, it instead pursued recurrence. Rather than the subjectivity of instincts and feelings, it explored the non-self, constructing a work that would express a sense of objectivity. That would, in fact, *be* an object. Returning to Ghitti, we can find parallels between her *Rituals* and certain works by Günther Uecker of the Zero Group, like *Rotating Tactile Structures* (1961), based on the alternation of smooth and nailed surfaces. Of course, Franca's world was very far from kinetic and planned research, precisely because of its historical, ethnic, and anthropological dimension, where the richness and uniqueness

Sono pagine venate di un lirismo partecipe. A esse però non si affiancano pagine che, oltre al "risuonare dei significati", per dirla con Foscolo, analizzino anche la fisionomia concreta del suo lavoro, i suoi aspetti stilistici. Accadrà solo in tempi recenti nella fortuna critica di Franca Ghitti. Di fatto i *Rituali* sono le prime opere in cui si manifesta la sua vocazione enumerativa e seriale.

I chiodi avevano suggestionato Franca fin dall'infanzia. Ricorda lei stessa: "Mio padre dopo la guerra introdusse [nella segheria] la lavorazione delle cassette di imballaggio e quelle dei *pallets* [pedane di carico]. Questa lavorazione, che richiedeva chiodi di ogni dimensione, sarebbe passata nella mia scultura, dove l'uso e la forma del chiodo sono fondamentali"[22]. Al di là delle memorie private, però, i chiodi con la loro testa rotonda e zigrinata, incisa da un reticolo come se fosse un sigillo, sono elementi volutamente uguali che creano sulla tavola una "ripetizione dell'identico". La composizione con elementi ripetuti era diffusa nell'arte tra la fine degli anni cinquanta e l'inizio del nuovo decennio. Oltre il magma delle pennellate, tipico dell'informale, si cercava ora il ritmo, la scansione, la precisione; abbandonata l'unicità del gesto si perseguiva la reiterazione; anziché la soggettività delle pulsioni e dei sentimenti si voleva esplorare il non-io, costruire un'opera che esprimesse un senso di oggettività. Anzi, che fosse un oggetto. Tornando a Ghitti, si potrebbero trovare paralleli tra i suoi *Rituali* e certi esiti di Uecker del Gruppo Zero, come *Strutture tattili rotanti*, 1961, impostate sull'alternanza di superfici lisce e chiodate. Certo, il mondo di Franca è lontanissimo dalle ricerche cinetiche e programmate, appunto per la sua dimensione storica, etnica, antropologica in cui consiste la ricchezza e la singolarità delle sue opere. Tuttavia consonanze simili, sia pure esclusivamente formali, non vanno sottovalutate, dimenticando quanto la sua scultura non sia anacronistica o sovrastorica, ma faccia parte del suo tempo.

Poco tempo dopo i *Rituali* Franca inizia il ciclo delle *Vicinie*, che nascono a partire dal 1965 quando, per così dire, i rilievi delle *Mappe* si popolano di una famiglia di figure[23]. Sono sagome, solitarie o a gruppi, appena sbozzate, strette in "scatole" o reticolati di legno, oppure disposte in sequenze orizzontali, accanto a qualche piccolo oggetto o frammento di materia (cat. 2-3). La vicinia (da "vicini" e quindi dal latino *vicus*, "villaggio") indicava anticamente una comunità di persone che abitavano in uno stesso luogo ed erano legate da vincoli di solidarietà reciproca.

13. Nello studio di Cellatica, primi anni duemila / At her studio in Cellatica, early 2000s

14. Nello studio di Cellatica,
primi anni ottanta / At her studio
in Cellatica, early 1980s

of her work lies. However, similar consonances, albeit only formal, should not be underestimated, forgetting to what extent her sculptures are neither anachronistic nor supra-historical, but instead part of her time.

Shortly after *Rituals* Franca began the series of *Vicinie*, begun in 1965, when, so to speak, the reliefs of *Maps* became populated by a family of figures.[23] They were silhouettes, solitary or in groups, rough hewn, crammed into "boxes" or wooden grids, or arranged in horizontal sequences, next to a small object or fragment of matter (cat. nos. 2–3).

Vicinia comes from *vicini* (meaning "nearby"), hence the Latin *vicus*, "village," originally indicated a community of people living in the same place, linked by ties of mutual solidarity. Probably originating towards the end of the Roman Empire, in the dramatic period of the barbarian invasions, they were not unlike the *Fare*, the Lombard clans, although the first written records of them date from the eleventh century. *Vicinie* still existed when Napoleon arrived in Italy.[24] They consisted of the *capifuoco* or heads of families across the region. Every two or three months they would meet at an assembly, solemnly announced by the sound of bells or drums. The assemblies decided on community issues such as the use of meadows and Alpine pastures, regulation of the labor of craftsmen, innkeepers, millers and butchers, the

ownership of common property, the usufruct of those that remained undivided, the management of mills, taverns, sawmills, furnaces, presses, and the maintenance of roads and bridges. The *vicinie* was, in short, an institution of mutual aid that, without eliminating private property, ensured the subsistence of each member of the community. This world both ancient and modern, archaic in its articulation and rituals, but also capable of some provision for social security—and at least more human than many utopias born in the Enlightenment period—inspired Ghitti to produce a series of works that occupied her for fifteen years, between 1965 and the end of the 1970s (cat nos. 9 and 13). (From the mid-1970s, however, they intersected, as we shall see, with her personal "Iron Age" and works in which she used scraps of that metal.)

The cycle of the *Vicinie* is divided into various stages. There are the *Rogations*, evoking processions of the community against plague, famine, floods, and infestations of insects. There are the *Litanies*, inspired by the triduums of prayer held in May, to pray for the safety of crops and to ward off drought, hail, and wheat rust. (One is reminded of the words of Gadda, on the first page for *Acquainted with Grief* where he mentions "the little *banzavóis* [corn] that the rural property managed to produce, and Ceres and Pales being favorable every leap year, that is, the one year in four when there was neither drought nor steady rain at planting and harvest time, and the whole caravan of diseases had not passed that way.")

Then there are the *Stories of the Dead*: figures that come back to life from beyond the grave from the holy expiations of Purgatory, and reappear to those who have loved or feared them. They are usually figures without a history, enclosed in a small circle of family relationships. Sometimes, however, they are biblical, evangelical, or mythological characters who pass through the gates of time.

Alongside presences from the hereafter, there are the rituals and myths of the here and now. There are the *Wedding Rites* evoking ancient ceremonies, boisterous processions through the village streets, but also settlements arranged by marriage brokers and the abuse of the *ius primae noctis*. There are the *Reliquaries*, tabernacles and sideboards that held the little food, the peasants' scanty nourishment. Those sideboards do not

Sorte probabilmente alla fine dell'impero romano, nella drammatica epoca delle invasioni barbariche, non dissimili dalle "fare", i clan longobardi, anche se le prime notizie scritte su di loro risalgono solo all'XI secolo, le vicinie erano rimaste vive fino all'avvento di Napoleone[24]. Erano formate dai "capifuoco", i capi delle famiglie del territorio, che ogni due o tre mesi si riunivano in un'assemblea, annunciata solennemente dal suono delle campane o dei tamburi. In quelle riunioni si decidevano le questioni collettive: l'uso dei pascoli e degli alpeggi; la regolamentazione del lavoro di artigiani, osti, mugnai, macellai; la proprietà dei beni comuni e l'usufrutto di quelli indivisi; la gestione di mulini, taverne, segherie, fornaci, torchi; la manutenzione di strade e ponti. Le vicinie erano, insomma, un'istituzione di mutuo soccorso che, senza eliminare la proprietà privata, assicurava la sussistenza di ogni membro della comunità. A questo mondo antico e moderno insieme, arcaico nell'articolazione e nei riti, ma capace anche di qualche previdenza sociale – e comunque più umano di tante utopie politiche partorite dall'illuminismo – Ghitti si ispira appunto in un ciclo di lavori che la occupano per una quindicina d'anni, tra il 1965 e la fine del decennio successivo (cat. 9, 13). (Dalla metà degli anni settanta però si intersecano, come vedremo, con la sua personale "età del ferro" e con i lavori in cui usa appunto gli scarti di quel metallo.)

Il ciclo delle *Vicinie* si articola in vari momenti. Ci sono le *Rogazioni*, che evocano le processioni della comunità contro la peste, le carestie, le inondazioni, le invasioni di insetti. Ci sono le *Litanie*, ispirate ai tridui di preghiera che si tenevano a maggio per impetrare la salvezza del raccolto, scongiurando la siccità, la grandine, la ruggine del frumento. (E tornano in mente le parole di Gadda, quando nella pagina iniziale della *Cognizione del dolore* accenna al "poco banzavóis [mais] che la proprietà rustica arriva a fruttare, Cerere e Pale assenziendo, ogni anno bisestile: cioè nell'anno su quattro in cui non si sia verificata siccità, non pioggia persistente alle semine ed ai raccolti, e non abbi avuto passo tutta la carovana delle malattie.")

Ci sono poi le *Storie dei morti*: figure che si riaffacciano alla vita dall'oltretomba, dalle sante espiazioni del Purgatorio, e ricompaiono di fronte a coloro che li hanno amati o temuti. Sono, di solito, figure senza storia, chiuse in un modesto cerchio di relazioni familiari. A volte però sono personaggi biblici, evangelici, mitologici che varcano le porte del tempo.

Accanto alle presenze dell'aldilà ci sono i riti e i miti dell'aldiquà. Ci sono i *Riti nuziali*, che evocano cerimonie millenarie, cortei chiassosi tra le strade del paese, ma anche contratti mercantili di sensali e sopraffazioni di *ius primae noctis*. Ci sono i *Reliquiari*, tabernacoli e credenze che raccolgono il poco cibo, il gramo nutrimento dei contadini. E quelle credenze non hanno l'odierno aspetto traboccante, ma sembrano esprimere l'antica atmosfera di sospetto e di violenza, richiamata etimologicamente dalla parola. ("Credenza" da "credere, fidarsi", si collega all'assaggio di alimenti e bevande che compivano scalchi e coppieri prima di darli ai signori, per accertare che non fossero avvelenati.) Alcuni *Reliquiari*, poi, hanno la forma di una santella, dal nome che in Valle Camonica e in altre parti della Lombardia si dà alle edicole sacre, alle modeste cappelline ("capitel", si dice anche in dialetto camuno) che ornavano un tempo le vie campestri e gli incroci delle strade. "Rotelle, santelle, bruchi e scodelle, tazze e agunìe sul fondo marcio delle madie e dei camini", scrive ancora Elda Fezzi a proposito dei *Reliquiari*[25].

Ci sono, infine, *I clan*, le corporazioni di fucinieri, mugnai, segantini, con le loro insegne araldiche, i loro talismani, gli emblemi del loro lavoro (cat. 12). E, da ultimo, le *Vicinie* propriamente dette, caratterizzate da un reticolato più geometrico. Ghitti ricrea insomma un intero mondo contadino, che vive in un eterno Medioevo e in una perenne preistoria. È un mondo che l'artista racconta con partecipazione, a volte con immedesimazione, ma senza alcuna retorica, evocandone la "vita agra", la miseria, le sofferenze e, insieme, il sistema economico, a volte più provvido – o, almeno, non più ingiusto – del nostro. Come ha scritto Argan nella monografia *Vicinie*, che resta il repertorio più completo su questa stagione dell'artista, Ghitti ha rappresentato un mondo vero, non immaginario né edulcorato: "Franca Ghitti ha affrontato la ricerca […] senza rapimenti per l'ingenuità dei primitivi e la pregnanza poetica delle loro mitologie. Ha scelto come terreno d'analisi una comunità ancora legata all'antichissimo linguaggio delle cose; ha studiato i sensi simbolici delle sue immagini, dei suoi oggetti. […] Non considera il mondo rurale come il mondo felice della creatività allo stato

have today's appearance of abundance, but seem to express the ancient atmosphere of suspicion and violence, evoked etymologically by the word *credenza*, (meaning "believe, trust"), referring to the tasting of foods and beverages by stewards or butlers before giving them to their masters, to ensure they were not poisoned.) Then some of the *Reliquaries* are given the form of a wayside shrine or *santella*, the name given in Val Camonica and other parts of Lombardy to the sacred shrines. They are modest chapels ("capitel" is another word for them in the Camunian dialect), which once adorned country roadsides and crossroads. "Wheels, shrines, caterpillars and bowls, cups and agonies, against a rotting backdrop of kneading troughs and chimneys," writes Elda Fezzi again about the *Reliquaries*.[25]

Finally, there are *The Clans*, the guilds of forgers, millers, sawyers, with their coats of arms and talismans, emblems of their work (cat. no. 12). And lastly the *Vicinie*, characterized by geometric grids. In this way, Ghitti recreates a whole peasant world, which lives in an eternal Middle Age and perennial prehistory. It is a world that the artist recounts feelingly, sometimes with empathy, but devoid of rhetoric, evoking harsh life, poverty, and suffering, and at the same time, the economic system, sometimes more provident—or at least no more unjust—than ours. As Giulio Carlo Argan wrote in his monograph *Vicinie*, which is still the most complete repertoire of this season of the artist's work, Ghitti represented a real world, not an imaginary or sweetened one. "Ghitti has done the research … without going into ecstasies at the simplicity of the primitives and the poetic poignancy of their mythologies. As the field of her analysis, she has chosen a community still closely bound up with the ancient language of things. She has studied the symbolic meanings of its images, its objects. … She does not consider the rural world as the happy world of creativity in its purest form."[26] For this reason, the scholar concludes, Ghitti's work is anthropological and scientific, not romantic or folkloric. "The aspect of this artistic research that I consider most important, is precisely the way she draws openly on the latest anthropological research. It is another path leading to the confluence of modern art and modern science."[27] In the *Vicinie*, Ghitti thought of sculpture not as the creation of single figures or sculptural groups, but the construction of a space containing forms and objects, drawing not so much on the Surrealist lesson of Joseph Cornell's magic boxes as the tradition of Arturo Martini's *Teatrini*. She inserted the compositions in an environmental frame, a casing, in which the elements expand to fill the surrounding space. Her figures, however, as simplified as the superimposed drums of columns, reveal points of contact with the spectral humanity of the late Sironi.

Of course, as happened with *Rituals*, here too comparisons may seem inappropriate. The "Camunian" atmosphere of Ghitti's work is too intense to immediately suggest satisfactory comparisons. But it is an error (indeed, it was perhaps the greatest limitation of some critics who wrote about the artist) to withdraw her work from the debate about contemporary sculpture and grasp its semantic values alone.

The series of *Vicinie* is one of the highest points of Ghitti's work. Those forms suspended between reality and appearance remain unforgettable, and one could say of them what Klee said of himself, that they live "both among the dead and among the unborn," as do those scored shapes, furrowed by severe hatchet blows, which reveal a painful realism. Think of the disoriented and tender gaze of *Mute Woman* (1967), the memory of a deaf and dumb housekeeper who cared for Franca as a child (cat. no. 5). Think of *The Hermit*, with his eyeless face, next to the walnut and slipper in his cell (cat. no. 14). Think of certain faces like lemurs and larvae, like the Burgundian *pleurants*, monads walled up alive in a petrified space.

Ultimately, the *Vicinie* give us a survey of a world forever stuck in time, a community of peasants and artisans of an indefinite century, so that one might repeat, but without anger, Quasimodo's words: "You are yet one with the stone and the sling, / man of my time."

The African experience (1969–71). From *Urafiki* to *Footprints of my Time* (1971–74)

Whilst devoting herself to sculpture, Franca never stopped painting. Her most significant achievement, which unfolded broadly all through the 1960s, is the series of paintings and frescoes *Tales of the Valley*. The artist undertook this cycle in her full maturity, and it deserves to be better known in all its forms. It is, so to speak, her first stocktaking.

15. Franca Ghitti mentre lavora agli affreschi
del Palazzo degli Uffici, Breno, 1967
Franca Ghitti working on the frescoes
in Palazzo degli Uffici, Breno, 1967

puro"[26]. Per questo, conclude lo studioso, Ghitti
ha fatto un'opera antropologica e scientifica,
non romantica e folcloristica: "L'aspetto che
considero più importante di questa ricerca artistica
è appunto il suo rifarsi apertamente alla più recente
ricerca antropologica: è un'altra via che porta alla
confluenza di arte moderna e scienza moderna"[27].
Nelle *Vicinie* Ghitti pensa la scultura non come
creazione di singole figure o di gruppi plastici,
ma come costruzione di uno spazio che accoglie
sagome e oggetti, riprendendo (più che la lezione
surrealista delle scatole magiche di Cornell) la
tradizione dei "teatrini" di Arturo Martini. Inserisce
cioè le composizioni in una cornice ambientale,
in un involucro in cui gli elementi si allargano allo
spazio circostante. Le sue figure, invece, semplificate
come rocchi di colonne sovrapposti, rivelano punti di
contatto con l'umanità spettrale dell'ultimo Sironi.
Certo, come accade per i *Rituali*, anche qui i
raffronti possono sembrare inappropriati. Troppo
intensa è l'atmosfera "camuna" dell'opera di
Ghitti per suggerire paragoni immediatamente
soddisfacenti. È però un errore (anzi, è stato forse
il limite maggiore di certa critica che si è occupata
dell'artista) anche sottrarre la sua ricerca al dibattito
della scultura contemporanea per coglierne solo
le suggestioni semantiche.
La serie delle *Vicinie* è uno dei punti più alti del
lavoro di Franca Ghitti. Rimangono indimenticabili
quelle sue sagome sospese tra concretezza

e apparizione, di cui si potrebbe dire quello che
Klee diceva di sé, cioè che vivono "bene tra i
morti come fra i non-nati"; oppure quelle sagome
graffiate, solcate da severi colpi di accetta,
che rivelano un doloroso realismo.
Pensiamo allo sguardo disorientato e tenero della
Muta, 1967, ricordo della governante sordomuta
che aveva accudito Franca da bambina (cat. 5).
Pensiamo all'*Eremita*, con il suo volto senza occhi,
accanto alla noce e alla pantofola del suo abitacolo
(cat. 14). Pensiamo a certe fisionomie di lemuri
e larve, simili a *pleurants* borgognoni, monadi
murate vive in uno spazio pietrificato.
Perché, alla fine, le *Vicinie* ci mostrano il
censimento di un mondo fissato per sempre in
un'ora immobile, un popolo di contadini e artigiani
di un secolo imprecisato per cui si potrebbero
ripetere, ma senza collera, le parole di
Quasimodo: "Sei ancora quello della pietra
e della fionda, / uomo del mio tempo".

L'esperienza africana (1969-1971). Da *Urafiki* a *Orme del tempo* (1971-1974)

Mentre si dedica alla scultura Franca non smette
di dipingere. Il suo esito più significativo, che si
sviluppa ad ampie riprese lungo gli anni sessanta,
è il ciclo di quadri e di affreschi dei *Racconti della
valle*. È un ciclo che l'artista affronta nella sua
piena maturità e che meriterebbe di essere meglio
conosciuto in tutte le sue declinazioni.

16. *Racconti della valle* / *Tales of the Valley*,
1966-1967
Affresco nel Palazzo degli Uffici di Breno (BS)
Fresco in Palazzo degli Uffici, Breno (BS)

Observing her whole path now, one could say that all her work is a "tale of the valley," where the valley is both a place and all places. Because ultimately, the valley is the world.

In 1967 in particular, Franca painted a huge fresco in the Palazzo degli Uffici at Breno in Val Camonica (fig. 15). Here, on the right-hand wall of the lower floor, she depicted a time of fear and catastrophe (flood, fire, war, plague, famine, hail, and frost). On the central wall, she then drew a map of emblematic places (the castle, fort, village, and river), which became almost mythical elements. On the left-hand wall, finally, she evoked the time of quiet (in the village, in workshops, at home), as in a sort of modern version of *The Effects of Good Government*. On the upper floor, she painted three phases of life in the fields: the time of grapes, the time of grain, and the time of snow.

This large composition, that alternates parts that are painted and parts in graffiti, is composed as a mosaic, animated by long undulating lines enclosing the individual scenes, divided into crooked grids. The lesson of Klee, but also Novelli, is again fused with the impressions of rock carvings, resulting in a narrative imbued with an introverted lyricism, where realism and legend intersect.

The same narrative tone is found in the coeval cycle of paintings of the same name, *Tales of the Valley*, 1966–68, thronged with a crowd of workers in mines and at forges, women bent under baskets, emaciated, bewildered children and emigrants. Here too, Ghitti translates this suffering world into a mosaic with rhythm and figures filtered through geometry, with a dazed accent that eliminates the risk of pathos.

Meanwhile in around 1968, the artist gained a temporary secondment from teaching to act as a technical assistant in the Foreign Ministry. This decision brought many consequences, because the following year, with ministerial permission, she was able to accept the invitation of the architect Cappa Bava to work in Africa.

"Franca sets off. Franca makes her exit. Godspeed to Franca, while those who remain will have to roll up their sleeves. One of these days Ghitti will leave Boario Terme, take the plane, and end up in the middle of Africa, in Kenya."[28] The account, with its rather fairytale tone, by Giannetto Vanzelli actually referred to a specific assignment. Luigi Cappa Bava (Turin, 1929), with whom Ghitti began to work in

1968, creating a dialogue between her painting and his architecture (and so recovering the classic art of the mural), had designed the church of the Italians in Nairobi together with Mario Fiammeni. Like the Sanctuary of the Virgin of the Consolation in Turin, it was dedicated to Our Lady of Consolation. As can be imagined, Franca was given the commission to make the stained glass windows, but it had been expanded to include a series of achromatic frescoes, cement glass sculptures and other features.

A teacher at the Turin Polytechnic just like Fiammeni, a past collaborator of Rita Levi Montalcini's, but also well known for his lively work as cartoonist and illustrator, Cappa Bava had designed a Rationalist building, but the central part of the roof contained some echoes of the geometric patterns in the dome of San Lorenzo by Guarini.

The panes of stained glass had to be inserted into the frame of the building, made of rustic concrete. Ghitti used the glass blocks that the Bontempi glass factory in Brescia sent her in Nairobi, but she shattered them, recomposed them and embedded them in place. All 500,000 pieces of glass blocks were laid by a group of Kikuyu Africans, under her supervision. All the windows have *Biblical Stories* as their theme: a subject congenial to the artist, who had always been sensitive to the dimension of the sacred in all its forms (figs. 19–21).

When she arrived in Africa in August 1969, Franca found a still colonial country. Kenya had achieved independence only six years earlier in 1963, after years of harsh struggle and fierce guerrilla warfare, waged primarily by the Mau Mau movement. The president of the country was Kenyatta, of the Kikuyu tribe, who after inspiring Mau Mau in his youth, now followed a more moderate policy: a sort of pro-Western African socialism, opposed by the extremist wing of Odinga, who accused him of compromise.

Karen Blixen had lived in Nairobi and recounted her experiences in *Out of Africa*. Franca not only explored the populous city (it had some four million inhabitants at the time), but also traveled widely. Besides extending her knowledge of the Kikuyu, Kenya's largest ethnic group, she pushed into the northern area, the wildest part of the country, bordering Somalia, as far as Lake Turkana (christened Lake Rudolf in the nineteenth century,

È, per così dire, un suo primo consuntivo e del resto, osservando ora il suo intero percorso, si potrebbe dire che tutta la sua opera è un "racconto della valle", dove però la valle è insieme un luogo e tutti i luoghi. Perché, alla fine, la valle è il mondo.

Nel 1967, in particolare, nel Palazzo degli Uffici di Breno sempre in Valle Camonica, Franca esegue un vasto affresco (fig. 15). Qui, al piano inferiore rappresenta sulla parete destra il tempo della paura e delle catastrofi (le inondazioni, gli incendi, la guerra, la peste, la carestia, la grandine, il gelo). Sulla parete centrale disegna poi una mappa di luoghi emblematici (il castello, il castelliere, il borgo, il fiume) che diventano quasi elementi del mito. Sulla parete sinistra, infine, evoca il tempo della quiete (nel paese, nelle botteghe, nelle case), come in una sorta di moderno *Effetti del Buon Governo*. Al piano superiore dipinge invece tre momenti della vita dei campi: il tempo dell'uva, il tempo del grano e il tempo della neve.

La grande composizione, che alterna parti dipinte e graffiti, è come un mosaico, mosso da direttrici ondulate lungo cui si dispongono le singole scene, articolate in storte quadrettature. La lezione di Klee, ma anche di Novelli, si fonde ancora una volta con la suggestione delle incisioni rupestri, dando luogo a una narrazione intrisa di un lirismo introverso, dove realismo e leggenda si intersecano.

È la stessa tonalità narrativa che si ritrova nel contemporaneo e omonimo ciclo di dipinti dei *Racconti della valle*, 1966-1968, dove si assiepa un popolo di lavoratori delle miniere e delle fucine, di donne curve sotto la gerla, di bambini smagriti e smarriti, di emigranti. Anche qui Ghitti traduce questo mondo sofferente in un ritmo di mosaico e in figure filtrate attraverso la geometria, con un accento stupefatto che elimina i rischi del patetismo.

Intanto, intorno al 1968, l'artista ottiene un temporaneo distacco dall'attività didattica per assumere il compito di assistente tecnico al ministero degli Esteri. È una scelta densa di conseguenze perché l'anno successivo, grazie proprio a un permesso ministeriale, può accettare l'invito dell'architetto Cappa Bava a lavorare in Africa.

"La Franca se ne va. La Franca esce di scena. Buon viaggio a Franca, e chi resta si rimbocchi le maniche. Uno di questi giorni Franca Ghitti lascia Boario Terme, prende l'aereo e finisce in mezzo all'Africa, nel Kenia."[28] Il racconto dai toni un po' fiabeschi di Giannetto Vanzelli si riferisce in realtà a un incarico preciso. Luigi Cappa Bava (Torino, 1929), con cui Ghitti nel 1968 aveva iniziato una collaborazione facendo dialogare la propria pittura con la sua architettura (e riprendendo così l'esercizio classico dell'arte murale), aveva progettato con Mario Fiammeni a Nairobi la chiesa degli Italiani, dedicata alla torinesissima Madonna della Consolata. Com'è facile immaginare, aveva chiamato Franca a eseguirne le vetrate, ma l'impegno dell'artista bresciana si era esteso in quell'occasione anche a una serie di affreschi acromi, di sculture in vetrocemento e ad altri interventi.

Docente al Politecnico di Torino come Fiammeni, collaboratore in gioventù di Levi Montalcini ma noto anche per una vivace attività di vignettista e disegnatore, Cappa Bava aveva costruito un edificio razionalista, che nella copertura centrale racchiudeva però qualche eco degli intrecci geometrici della cupola di San Lorenzo del Guarini. I pannelli delle vetrate dovevano essere inseriti nell'ossatura dell'edificio, in cemento rustico. Ghitti utilizza le mattonelle di vetro che le spedisce a Nairobi la vetreria Bontempi di Brescia, ma le frantuma, le ricompone e le incastona sul posto: sono cinquecentomila tessere di vetrocemento che vengono posate da un gruppo di africani kikuyu, sotto la sua direzione. Tutte le vetrate hanno per tema i *Racconti biblici*: un soggetto congeniale all'artista, che era sempre stata sensibile alla dimensione del sacro in tutte le sue forme (figg. 19-21).

In Africa, dove giunge nell'agosto 1969, Franca trova un paese ancora coloniale. Il Kenya aveva raggiunto l'indipendenza solo sei anni prima, nel 1963, dopo anni di dure lotte e di una feroce guerriglia, scatenata soprattutto dal movimento Mau Mau. Alla presidenza del paese era salito Kenyatta, della tribù Kikuyu, che dopo essere stato in gioventù ispiratore dei Mau Mau seguiva ora una politica più moderata: una sorta di socialismo africano filoccidentale, combattuto dall'ala estremista di Odinga, che lo accusava di compromessi.

A Nairobi, poi, aveva vissuto Karen Blixen, che aveva raccontato le sue esperienze nella *Mia Africa*. Franca comunque non si limita a girare

17. Franca Ghitti allo Loiyangalani, Kenya
Franca Ghitti in Loiyangalani, Kenya

18. Tra i Turkana, Kenya, 1969-1971
Among the Turkana, Kenya, 1969–71

in honor of Rudolf of Hapsburg, by the Austrian-Hungarian expedition that discovered it). She stayed at Wamba and Loiyangalani (fig. 17), where she met the eponymous Turkana tribe (fig. 18). She also traveled to Tanzania and Uganda, and met in person some of the many African ethnic groups: the Baluya, Elmolu, Rendille, Samburu and Suku peoples.[29]

Of course she did not live like a tourist, in a luxurious English style hotel. In Nairobi she lived in a hut on a large building site, where she established her studio and workshop, as well as her apartment. Occasionally a monkey would sneak in, *sui generis*, and steal her clothes (but the most frequent thefts were by the local men, who stole her underwear as gifts for their wives). To be able to communicate with her assistants, she studied Swahili, the official language of Kenya, Tanzania and Uganda—a sort of common language, the English of those countries—and learnt to speak it fluently.

The poverty and disease she saw in Africa profoundly affected her, and she was already fully sympathetic to the harsh business of living. In a letter written on October 31, 1969, shortly after her arrival, she observed: "It is a land full of fruit and poverty, of good and evil. It is a nation made up of many people with huge difficulties. The essential problem is still survival. Among the Turkana and Samburu there is still a frightening mortality rate (disease, starvation, pests, worms of all kinds). You cannot find a pool of water without bilharzia (except in the glistening European swimming pools)."[30] And in a long passage that deserves to be quoted in full, she reflected: "The people of Africa are young and full of courage, but I cannot keep quiet about the troubled lives of these people. This bush full of beautiful and terrible animals, these rivers swollen with bilharzia, malaria, amoebas, things that tourists lying on the beautiful Atlantic ocean in Malindi cannot see, and that the white Musungu [the foreigner, the colonizer] who is here to get rich cannot see. They are things that change you. A comparison with a human reality so different from your own helps you identify more closely with others, to clarify the nature of those commitments that earlier, in the confusion of values, distorted by our supposed civilization, were difficult to pursue with consistent honesty. Perhaps from all this I have drawn a salutary critical review,

with new sap, not just for my world of signs and colors. I believe I have also acquired a new ability to participate in the lives of others. In the nearly 360 square meters of panes of stained glass created in Kenya, I would like all this to be read too. I have made these symbols, these signs, these colors, for Africans and with the help of Africans. I have taught them new techniques and I have been given a language full of new symbols, fantastic, almost like their music, their dances, and their lullabies."[31]

So her stay in Africa, prolonged until 1971, was not just a sociological experience. The harsh light of Kenya, the bright colors, totemic figures and forms of tribal painting or ritual decorations, influenced her vocabulary, as appears in her works in the early 1970s. Into her 1970 engravings, published in the volume *99 proverbi kikuyu* (Scheiwiller, 1977), and the squared mosaics of her previous paintings, burst animal and totemic figures, shapes with large round heads, circular shapes that recall the necklaces, tattoos, fabric designs, and the circle dances of African ethnic groups (fig. 22). The same influences are found in the plates accompanying *Un'Isola, sì* (1971, fig. 23), by the Brescian poet Lento Goffi, and the engravings in *Urafiki* (1972, fig. 24), a Swahili word meaning "friendship." They were brought together, finally, in the plates that accompanied *Kenya Legend* (also 1972, fig. 25): a small anthology of African poetry, translated by Ezra Pound's daughter, Mary de Rachewiltz, and likewise published by Scheiwiller.

The sculptures, too, of these years, entitled *Footprints of Time. Totems*, reflected African influences. The wooden work of the *Vicinie* were joined (and more often replaced) by works in cement and iron, in which were embedded raw glass fragments, like brutal barbaric jewels. As always, though, primitive and modern languages overlap in Ghitti's work. And if in *Vicinie* the echoes of rock carvings mingled with those by Martini and Sironi, in *Footprints of Time*, the memories of African civilization were combined with those of Fontana's works, from his rounded *Natures* to the paintings in the 1950s studded with fragments of glass.

The Kenyan sculptures were exhibited for the first time in Nairobi in 1970, in an exhibition that Franca held with the African sculptor Allan Mwaniki, who later become an accomplished animated cartoonist. All the works from the early 1970s then converged

per la popolosa città (allora di circa quattro milioni di abitanti) e viaggia molto. Oltre ad approfondire la conoscenza dei Kikuyu, l'etnia più numerosa del Kenya, si spinge nella zona settentrionale e più selvaggia del paese, al confine con la Somalia, fino al lago Turkana (quello che nell'Ottocento era stato battezzato lago Rodolfo, in onore di Rodolfo d'Asburgo, dalla spedizione austro-ungarica che l'aveva scoperto). Si ferma a Wamba e allo Loiyangalani (fig. 17), dove entra in contatto con l'omonima tribù Turkana (fig. 18). Si sposta inoltre in Tanzania e in Uganda e conosce da vicino alcune delle numerose etnie africane: le tribù Baluya, Elmolu, Rendille, Samburu e Suku[29].

Certo non vive da turista, in qualche lussuoso albergo di stile inglese. A Nairobi abita nella baracca di un grande cantiere, dove aveva ricavato il suo studio e un laboratorio, oltre al suo appartamento. In quell'ambiente sui generis ogni tanto penetra qualche scimmia che le ruba i vestiti (ma i furti più frequenti sono quelli degli uomini del luogo, che le sottraggono capi di biancheria intima per donarli alle loro mogli).

Per per poter comunicare con i suoi collaboratori studia lo swahili, la lingua ufficiale del Kenya, della Tanzania e dell'Uganda – una sorta di lingua comune, di inglese di quei paesi – e arriva a parlarlo correntemente.

La miseria e la malattia che vede in Africa toccano profondamente la sua sensibilità, già così partecipe del duro mestiere di vivere della sua valle. In una lettera scritta il 31 ottobre 1969, poco dopo il suo arrivo, osserva: "È una terra colma di frutti e di povertà, di bene e di male. È un popolo formato da molte tribù con enormi difficoltà. Problema essenziale è ancora oggi quello della sopravvivenza. Presso i Turkana e i Samburu vi è ancora una mortalità che fa spavento (malattie, fame, bestie, vermi di ogni genere). Non si trova una pozza d'acqua (tolte le luminose piscine degli europei) senza la bilarzia"[30]. E in una lunga riflessione che merita di essere riportata per intero: "Il popolo africano è giovane e pieno di coraggio, ma io non posso tacere della stentata esistenza di questa gente, di questo *bush* pieno di animali stupendi e terribili, questi fiumi gonfi di bilarzia, di malaria, di ameba, cose che il turista disteso sulle belle sponde dell'oceano a Malindi non può vedere e il Musungu [lo straniero, il colonizzatore] bianco che è qui per arricchire non può vedere. Sono aspetti della vita che ti mutano. Il confronto con una realtà umana così diversa dalla nostra aiuta a riconoscersi meglio nel proprio rapporto con gli altri, a precisare meglio la natura di quegli impegni che prima, nella confusione di valori, stravolti dalla nostra presunta civiltà, era difficile perseguire con coerente onestà. Forse da tutto questo io ho tratto una salutare revisione critica, una nuova linfa non soltanto per il mio mondo fatto di segni e di colori. Ma, anche, credo di aver acquistato una nuova capacità di partecipare alla vita altrui. Vorrei che nei quasi 360 metri quadrati di vetrate e pannelli

in the first monograph on the artist, issued by Scheiwiller in 1974 and entitled *Footprints of Time*. (Unsurprisingly, Pound's friends and publishers in Italy were interested, as we shall see, in Franca's work, and saw her experiments as embodying the same concern with the African world loved and studied by Pound.)

The monograph, moreover, was entrusted to a doyen of critics including Marchiori. The old scholar, albeit in a brief, somewhat occasional text, captured two important aspects of the artist's work: the relation between her most recent works with Lucio Fontana, and the global notion of primitivism. "The stones, the rock carvings of the Val Camonica, are associated in the artist's imagination with the appeal of legends and fables, with the carved or painted figures of the 'primitives' of black poetry and art. Franca has not descended into the subterranean spirit of *negritude*: she has rather freely interpreted certain magical elements, relating them to her intuitions, her spirituality,

which by the ways of culture bring her close to certain distant Romanesque ancestries."[32]

The central text of the monograph, however, was by Elda Fezzi, who, in lucid, elegant pages, identified Franca's principal influences: Kokoschka, Dubuffet, Sironi, and Klee, besides the usual primitivist suggestions, always cited by all the critics, and certain almost tactile reminiscences ("the stains on the damp walls and the old huts, the corroded timber of her ancient, native Erbanno, the worn nails of old wooden sidings... childhood memories and the discoveries of rough tools and crumbling paintings spread for centuries around her").[33]

Together with the vivid photographs by Paola Mattioli, who also took pictures of the artist in her studio and while working, the monograph was unfortunately limited to Franca's African work, seen as her most recent and highest achievement. The depth of her world could be deduced from the texts, not the choice of reproductions.

22. *Novantanove proverbi kikuyu / Ninety-Nine Kikuyu Proverbs*, 1977
Incisione su linoleum / Linocut

23. *Un'isola, sì*, 1971
Incisione su linoleum / Linocut

24. *Urafiki*, 1972
Incisione su rame / Copperplate engraving

25. *Kenya Legend*, 1972
Incisione su linoleum / Linocut

eseguiti in Kenya potesse leggersi anche questo. Questi simboli, questi segni, questi colori li ho fatti per gli africani e con l'aiuto degli africani. Io ho insegnato loro nuove tecniche ed a me è stato dato un linguaggio carico di simboli nuovi, fantastici, quasi come la loro musica, le loro danze, le loro nenie…"[31].

Il soggiorno africano, dunque, che si protrae fino al 1971, non è solo un'esperienza sociologica. La violenta luce del Kenya, i colori accesi, le figure totemiche e le forme della pittura tribale o delle decorazioni rituali influenzano il suo linguaggio, come si vede nelle opere dei primi anni settanta. Nelle incisioni del 1970 – che compariranno nel volume 99 proverbi kikuyu (Scheiwiller, 1977) – e nei mosaici quadrettati della pittura precedente fanno irruzione figure di animali e di totem, sagome dalle grandi teste rotonde, forme circolari che ricordano le collane, i tatuaggi, i disegni di tessuti, le danze in cerchio delle etnie africane (fig. 22). Le stesse suggestioni si ritrovano nelle tavole che accompagnano Un'isola, sì, 1971 (fig. 23), del poeta bresciano Lento Goffi, e nelle incisioni di Urafiki, 1972 (fig. 24), un termine swahili che significa "amicizia". Si colgono, infine, nelle tavole che accompagnano Kenya Legend, sempre del 1972 (fig. 25): una piccola antologia di poesie africane, tradotte dalla figlia di Ezra Pound, Mary de Rachewiltz, e pubblicate ancora da Scheiwiller. Anche le sculture di questi anni, intitolate Orme del tempo. Totem, risentono degli influssi africani: all'opus ligneo delle Vicinie si affiancano (e più spesso si sostituiscono) opere in cemento e ferro, in cui sono incastonati frammenti di vetro grezzo, brutali come gioielli barbarici. Come sempre, però, linguaggio primitivo e moderno si sovrappongono nel lavoro di Ghitti. E se nelle Vicinie gli echi delle incisioni rupestri si mescolavano a quelli di Martini e Sironi, nelle Orme del tempo i ricordi della civiltà africana si coniugano con quelli di certi esiti di Fontana, dalle Nature tondeggianti ai dipinti degli anni cinquanta, disseminati di frammenti di vetro. Le sculture "keniote" vengono esposte per la prima volta a Nairobi nel 1970, in una mostra che Franca tiene con lo scultore africano Allan Mwaniki, che in seguito diverrà un affermato disegnatore di cartoni animati. Tutte le opere dei primi anni settanta confluiscono poi nella prima monografia dell'artista, che esce da Scheiwiller nel 1974 e si intitola appunto Orme del tempo. (E non è certo un caso che l'amico e l'editore di Pound in Italia si sia interessato, come vedremo meglio, all'opera di Franca, ritrovando nelle sue ricerche la stessa attenzione al mondo africano amato e studiato da Pound.)

La monografia, peraltro, è affidata a un decano della critica come Marchiori. L'anziano studioso, pur in un testo breve e un po' d'occasione, coglie due aspetti importanti del lavoro dell'artista: il rapporto delle sue ultime opere con Lucio Fontana e la nozione globale di primitivismo. "Le pietre, i graffiti rupestri della Val Camonica si legano nella fantasia dell'artista ai richiami delle leggende e delle favole, alle figurazioni scolpite o dipinte dei 'primitivi' della poesia e dell'arte negra. Franca non è calata nello spirito sotterraneo della négritude: ne ha invece liberamente interpretato alcuni elementi magici, raccordandoli al suo intuito, alla sua spiritualità, che si avvicinano per le vie della cultura a certe lontane ascendenze romaniche."[32]

Il testo centrale della monografia è però quello di Elda Fezzi che, in pagine lucide ed eleganti, individua le principali ascendenze di Franca: Kokoschka, Dubuffet, Sironi, Klee, oltre alle consuete suggestioni primitiviste, sempre citate da tutti i critici, e a certe reminiscenze quasi tattili ("le macchie dei muri fradici e delle vecchie baite, i legni corrosi dell'antica e nativa Erbanno, i chiodi consunti dei vecchi assiti… memorie d'infanzia e scoperte di utensili rozzi e pitture sgretolate sparse da secoli intorno a lei")[33].

Accompagnate dalle intense fotografie di Paola Mattioli, che riprendevano anche l'artista nel suo studio e nei momenti di lavoro, la monografia era purtroppo circoscritta all'opera "africana" di Franca, vista come l'esito ultimo e più alto della sua scultura. Lo spessore del suo mondo si poteva dedurre dai testi, non dalla scelta delle riproduzioni. Così un lettore ignaro che avesse sfogliato il volumetto ne avrebbe ricavato l'idea di un'artista nobilmente vicina al Terzo Mondo (della sensibilità sociale di Franca parlavano un po' tutti in questo periodo, fino a trasformare una verità in un luogo comune) e interessata ai totem tribali. Non avrebbe saputo nulla delle Mappe e quasi nulla delle Vicinie (una sola immagine delle Rogazioni compariva tra le fotografie).

Notiamo qui, per inciso, che nel percorso artistico di Ghitti si assiste a una divaricazione che ha pesato a lungo sulla diffusione della sua opera.

26. Nello studio di via San Francesco a Brescia, anni settanta / At the studio on Via San Francesco in Brescia, 1970s

27. Con Vanni Scheiwiller in fucina, Breno, 1978 / With Vanni Scheiwiller in the forge, Breno, 1978

So unsuspecting readers who leafed through the small volume would have formed the idea of an artist nobly close to the Third World (everyone spoke of Franca's social sensitivity in this period, turning truth into a commonplace) and interested in tribal totems. But they would have known nothing about her *Maps* and almost nothing of the *Vicinie* (the photographs included a single image of the *Rogations*).

It is worth noting here, incidentally, that in her artistic career we see a gap that long weighed on the dissemination of her work. In an imaginary ledger, we could enter to her credit the voices and contributions of some of the most significant intellectuals of the day, but in the debit column, an absence of any real relationship with a gallerist (always decisive in the twentieth century, despite the chimeras) and her distance from the art system. (One need only look at the slenderness of the groups to which she belonged, with very few exceptions. Hers was a crowded isolation, but it was always isolation. That said, we must immediately add that Franca's deep interest in Pound, heightened—as we shall see—by an exceptional network of Poundian friendships, led her to consciously distance herself from the market. In fact it stemmed from her rejection of the mercantile dimension, of the very "usura" that, according to Pound, had for ever brought to an end the golden age of art).

In the credit column of that ideal account, we should set her encounter with Maria Luisa Ardizzone, met Franca in 1971, shortly after her return from Africa, through her sisters. Ardizzone would become one of the leading scholars of Pound and, in America, of Dante (with an amphibious love for the Middle Ages and modernity that had many points of contact with the artist's poetry). She formed a close friendship with Franca that was to last a lifetime.[34]

Around 1972, through Lento Goffi and Giorgio Valgimigli (son of the fine Greek scholar Manara Valgimigli), Ghitti also came to know the publisher Vanni Scheiwiller, who was passionate about her work and published several of her monographs, engravings, and studies (fig. 27). Between Franca, Maria Luisa, Vanni, her brother Silvano and Mary de Rachewiltz, ties were also formed that were destined to prove enduring.

Beyond Africa. The memory of iron and wood (1974–85)

In 1973, shortly after the end of the Nairobi period (and after spending some time adapting a hut on the Oglio River as her studio, in the African manner, fig. 28), Ghitti opened a studio in Via San Francesco, Brescia (fig. 26), near the fourteenth century church of the same name. In these years, as she continued to work on the cycle of *Vicinie*, she renewed the experience of the church of the Italians by making other stained glass windows in Val Camonica: for the church of Santa Maria del Popolo in Costa Volpino (1972–76), for the main chapel of the cemetery in Malegno (1975), and for the Ercoli chapel in Bienno (1977). The church in Costa Volpino, designed by Gigi Cottinelli, in particular, was wholly centered on Franca's great cement glass windows, which were just as extensive as the stained glass windows in Nairobi. She also designed and produced some of Scheiwiller's publications, like the *Epigrammi dell'Antologia Palatina* (1975) or *Il liuto di Gassire* (1976), Frobenius' African legend much loved by Pound. Her work was not limited, as might have been supposed, to accompanying a book with her drawings. On the contrary, first she would develop a passion for a text, then create the original engravings that would be an integral part of it, and finally she would offer the project to the publisher. In this way, the book secretly became an artist's book.[35]

In these years she also had a number of small but refined solo exhibitions in galleries (in 1976 at the Centro Rizzoli, directed by Marinetti's daughter Vittoria, and the Galleria Spriano in Omegna in 1979 at the Galleria Triangolo in Cremona), but they never gave rise to an enduring relationship. In 1977 however, when she finally gave up teaching, Franca spent a short time in Rome, where she worked as a researcher at the Museo Nazionale delle Arti e Tradizioni Popolari, now the MAT. Also significant was her direct commitment to publishing. In 1978 she produced *La valle dei magli* for Scheiwiller. This was a rigorous survey, on which she had been working for some time, of the iron forges at Bienno, which sprang up as early as the seventeenth century along the small watercourse of the Vaso Re. It was a fascinating encyclopedia of these buildings, with their trappings of water wheels, supporting posts,

In un'immaginaria partita doppia Franca può segnare al suo attivo voci e interventi di intellettuali tra i più significativi, ma nella colonna dei passivi deve registrare l'assenza di un vero rapporto con un gallerista (sempre decisivo nel Novecento, nonostante le chimere) e la lontananza dal sistema dell'arte (basti vedere l'inconsistenza delle collettive cui è chiamata, con pochissime eccezioni. Il suo è un isolamento affollato, ma è sempre un isolamento. Detto questo, bisogna subito aggiungere che il profondo interesse di Franca per Pound, acuito – come vedremo – da una eccezionale trama di amicizie "poundiane", la porta a una consapevole lontananza dal mercato. Nasce anzi da uno stesso rifiuto della dimensione mercantile, di quella "usura" che secondo il poeta americano aveva ucciso per sempre le epoche d'oro dell'arte).

Nella prima colonna di quell'ideale partita doppia bisogna segnare l'incontro con Maria Luisa Ardizzone, che conosce Franca nel 1971, subito dopo il ritorno dall'Africa, attraverso le sorelle. Maria Luisa, che sarebbe diventata una delle maggiori studiose di Pound e, in America, di Dante (con un amore anfibio per il Medioevo e il moderno che ha molti punti di contatto con la poetica dell'artista), stringe con lei un'amicizia profondissima che durerà tutta la vita[34].

Intorno al 1972 Ghitti conosce inoltre, attraverso il già citato Lento Goffi e Giorgio Valgimigli (figlio del grande grecista Manara), l'editore Vanni Scheiwiller, che si appassiona al suo lavoro e pubblica numerose sue monografie, incisioni, ricerche (fig. 27). Tra Franca, Maria Luisa, Vanni, suo fratello Silvano e Mary de Rachewiltz si crea un sodalizio destinato anch'esso a durare a lungo.

Oltre l'Africa. La memoria del ferro e del legno (1974-1985)

Nel 1973, poco dopo la conclusione della stagione di Nairobi (e dopo aver adattato per qualche tempo ad atelier una baracca sul fiume Oglio, *more africano*; fig. 28), Ghitti apre uno studio a Brescia in via San Francesco (fig. 26), vicino all'omonima chiesa trecentesca. In questi anni, mentre continua il ciclo delle *Vicinie*, rinnova l'esperienza della chiesa degli Italiani realizzando altre vetrate in Valle Camonica: per la chiesa del Popolo a Costa Volpino (1972-1976), per la Cappella Maggiore del cimitero di Malegno (1975), per la cappella Ercoli di Bienno (1977). La chiesa di Costa Volpino, in particolare, disegnata da Gigi Cottinelli, è tutta incentrata sui grandi vetrocementi di Franca, che hanno la stessa ampiezza delle vetrate di Nairobi.

L'artista progetta e realizza inoltre alcune delle pubblicazioni di Scheiwiller, come gli *Epigrammi dell'Antologia Palatina* (1975) o *Il liuto di Gassire*

29. Sfridi dalla lavorazione del ferro / Offcuts
from fabrication of iron

furnaces, hammers, buckets, tongs, compasses, hoes, picks, and wedges. That humble phenomenology and above all, the *sfridi* (offcuts, the scrap iron that fell from the anvil) proved a revelation for her (fig. 29). Paradoxically, these *sfridi*, etymologically may have derived from *frivolous*, "reduced to fragments," which is also "frivolity" in the sense of something inessential, became one of her best loved materials for sculpture that was so utterly unfrivolous like hers. "As I watched the forge and analyzed the process of fabricating agricultural tools (hoes, shovels, spades), I found myself gazing with interest at the offcuts (*sfridi*) left over from cutting out the tools, which interested me more than the objects themselves. Those pieces were all the same on the floor of the forge, almost buried in their iron filings. They seemed to trace an unknown path to be followed. The scraps on the ground struck me then as the letters of an alphabet waiting to be reassembled. I read in them the signs of the border, gates, fences, boundary tracks and enclosures. Almost unknowingly, in gazing at them, I began to create an assemblage, according to a modularity that was the same that the foundry workers used to create stacks of tools. Then I began to make the gates," recalled the artist.[36]

The scraps, unused and unusable parts, gave rise to the *Gates*: repeated signs, metal embroideries guided by the intelligence of the hand, from an enumerative tendency that alternated solids and voids like a heartbeat, like the rhythm of breathing. Ghitti was always attentive, and not only in the material sense, to everything that was rejected, that official culture did not accept. Her recovery of waste materials was a metaphor for her concern with everything that was, in the broadest sense, an ignored or disregarded truth. As Pietro Petraroia, one of the critics closest to Franca, acutely wrote: "In Ghitti's mind and then in her hands, everything that is discarded becomes, one might say with the Gospel, the cornerstone of new constructions and creations, completely freed from its original, menial nature, perhaps precisely because of its proclaimed uselessness."[37]

At first the *Gates*, which Franca mentions in the quotation above, were only projects. *Proposal for a Gate*, *Proposal for a Fence*, or, more simply, *Composition of Elements*, were the titles of the works that she devised in 1978–79: small, light

sequences of pod-shaped, ungulate, sickle-shaped, double-circled, double-horned iron forms. "It is an iron primordiality," wrote Carlo Belli in the new monograph on the artist titled *Iron Memory*.[38]

Only towards the end of 1979 did she create her first monumental works: the *Ghitti Gate*, the door to Mary de Rachewiltz's castle at Brunnenburg in Trentino (fig. 30), and a wall for the boardroom of a company at Berzo, in Val Camonica.

Also in 1979, Franca edited *La farina e i giorni*, a survey of the mills in the Valley, introduced by a page from Bacchelli's *Mulino del Po*, a short story by Maria Luisa Ardizzone and a note by Mary de Rachewiltz. It was a catalogue of stone and wood, an inventory of millstones, paddles, rotating fork shafts, baskets, buckets, drafted by traversing the mule tracks and streams of Astrio, Cimbergo, Paisco, and a hundred other Camunian villages with steep and stony names: a world that was about to disappear, like the objects it contained.

Meanwhile, strengthened by this research, Ghitti continued to produce sculptures in wood. And, as Sebastiano Grasso observed, her material was not elaborate, but "old wood, richly veined, scored, battered, stripped."[39]

While continuing to work on the *Vicinie* (which, as we have seen, she collected into the monograph of the same name in 1980), in 1979 she produced her first *Closed Books*. These were blocks of wood marked by stubborn centuriations, sometimes inhabited by the figures that populate the *Vicinie*, often enclosed within their boundaries like herms set off axis (cat. no. 22). Their appearance does not recall libraries, universities, or bookstores, but rather totems and talismans, soundless musical instruments, or wooden herbals. They would have appealed to Mallarmé, who had read all of her books except these, sealed in their silence, in their enigma. It is no coincidence that Carlo Bertelli, when presenting them, spoke of a "sustained attack by the forces of nature and those of man."[40] It is no coincidence that, shortly after these anti-intellectual *Closed Books*, were created, in the early 1980s Franca produced the vegetable cycle of *Trees* and *Woodland*, repeating the same ascending, primitive, potentially unlimited forms as in the *Books*. "Franca Ghitti's *Woodland* grows on the tree-book," observed Fausto Lorenzi.[41]

Trees had fascinated Franca since childhood, and they would become one of the favored motifs in

(1976), la leggenda africana di Frobenius amata da Pound. Il suo intervento non si limita, come si potrebbe pensare, a corredare un libro con opere sue. Al contrario, prima si appassiona a un testo, poi disegna ex novo le incisioni che ne saranno parte integrante e propone il progetto all'editore. Il volume diventa allora, segretamente, un libro d'artista[35].

Sempre di questi anni sono alcune personali in gallerie raffinate ma piccole (nel 1976 al Centro Rizzoli, diretto dalla figlia di Marinetti, Vittoria, e alla Galleria Spriano di Omegna; nel 1979 al "Triangolo" di Cremona) che non danno luogo a un rapporto continuativo. Nel 1977, invece, quando finalmente lascia la scuola, Franca trascorre un breve periodo a Roma, dove lavora come ricercatrice al Museo Nazionale delle Arti e Tradizioni Popolari, l'attuale MAT.

Significativo è anche il suo diretto impegno editoriale. Nel 1978 cura per Scheiwiller *La valle dei magli*: una ricognizione rigorosa, cui si era dedicata già da tempo, sulle fucine per la lavorazione del ferro a Bienno, che si erano sviluppate già nel Seicento lungo il piccolo corso d'acqua del Vaso Re. È un'enciclopedia suggestiva di quelle costruzioni, con il loro corredo di ruote, pali di sostegno, forni, magli, secchi, tenaglie, compassi, zappe, picconi, cunei. Quella fenomenologia dimessa e, soprattutto, gli sfridi (gli scarti del ferro, i residui che cadono dall'incudine) sono per lei una rivelazione (fig. 29). E paradossalmente lo sfrido, che etimologicamente deriva forse da *frivolus*, "ridotto in frammenti", da cui viene anche "frivolezza" nel senso di cosa inessenziale, diventa uno dei materiali più amati di una scultura così totalmente antifrivola come la sua. "Mentre seguivo e analizzavo in fucina il processo di lavorazione di alcuni attrezzi agricoli (zappe, badili, vanghe) mi trovavo a guardare con interesse allo scarto di ferro (sfrido) che rimaneva dell'attrezzo ritagliato e questo mi interessava più dell'oggetto stesso. Quei pezzi tutti uguali sul pavimento della fucina, quasi sepolti nella loro polvere di ferro, mi sembravano tracce per un percorso ignoto e da seguire. Gli elementi per terra mi apparivano allora come lettere di un alfabeto che aspettava di essere ricomposto. Vi leggevo segni di confine, cancelli, staccionate, tracce di limite e di chiusure. Quasi inconsapevolmente, nel guardarli, iniziavo a compiere una operazione

di assemblaggio, secondo una modularità che era la stessa che i fucinieri usavano per creare le pile degli attrezzi. Iniziavo allora a realizzare dei cancelli…" ricorda l'artista[36].

Nascono appunto dai residui, dalle parti inutilizzate e inutilizzabili, i *Cancelli*: segni ripetuti, ricami di metallo guidati dall'intelligenza della mano, da una vocazione enumerativa che alterna pieni e vuoti come un battito cardiaco, come un ritmo del respiro. Ghitti è sempre stata attenta, e non solo in senso materiale, a tutto ciò che è rifiutato, e che la cultura ufficiale non accoglie. Il suo recupero dei materiali di scarto è la metafora di un'attenzione a tutto ciò che è, in senso lato, verità ignorata e disattesa. Ha scritto acutamente Pietro Petraroia, critico tra i più vicini a Franca: "Nella mente e poi nelle mani della Ghitti tutto ciò che era scartato diviene, si direbbe col Vangelo, testata d'angolo di nuove costruzioni e creazioni, completamente affrancato dalla sua natura originaria e vile, forse proprio in ragione della sua conclamata inutilità"[37].

All'inizio i cancelli, a cui Franca accenna nella dichiarazione prima ricordata, sono solo progetti. *Proposta per cancello*, *Proposta per inferriata*, o, più semplicemente, *Composizione di elementi* si intitolano le opere che nascono nel 1978-1979: piccole, leggere sequenze di ferri con forme baccellari, ungulate, a falcetto, a doppio cerchio, a doppie corna. "È una ferrigna primordialità" scrive Carlo Belli nella nuova monografia dell'artista che si intitola *Memoria del ferro*[38].

Solo alla fine del 1979 nascono le prime opere monumentali: il *Ghitti Gate*, la porta per il castello di Mary de Rachewiltz a Brunnenburg, in Trentino (fig. 30), e una parete per la sala consiliare di un'azienda di Berzo, in Valle Camonica. Sempre nel 1979 Franca cura *La farina e i giorni*, una ricognizione sui mulini della valle, introdotta da una pagina del *Mulino del Po* di Bacchelli, un racconto di Maria Luisa Ardizzone e una nota di Mary de Rachewiltz. È un catalogo di pietre e legni, un inventario di macine, pale, forche ruotanti, ceste, cassette, redatto attraversando le mulattiere e i torrenti di Astrio, Cimbergo, Paisco e cento altri paesi camuni dai nomi pietrosi e irti: un mondo che sta per scomparire, come gli oggetti che custodisce. Intanto, corroborata anche da questa ricerca, Ghitti non abbandona la scultura in legno. E il suo, nota Sebastiano Grasso, non è un materiale artefatto,

30. Con Mary de Rachewiltz, Brunnenburg, 2010 / With Mary de Rachewiltz, Brunnenburg, 2010

her sculpture, in both wood and iron. She recalled: "The first tree-sculpture that I made was when, one day in my father's sawmill, I saw trees that were discarded, judged unfit after being cut vertically. Between the vertical and horizontal cuts I started to make notches, with a positive and negative rhythm, alternating notches. The sawyer did not understand what I wanted, but I suggested how the cuts could be made technically."[42]

So even in *Trees* (cat. no. 27), what attracted the artist was not the grandeur of the trunk or the luxuriance of the vegetation, but the scansion, the rhythm and the spacing. Everything that gets set aside (like so-called primitive cultures and non-academic knowledge), yet which is actually crucial. In this way, the work speaks "of our roots, lost yet continually sought."[43]

The impression of the material mingles with the echo of Brancusi's endless numerations: a Brancusi that Franca had seen in Paris, but on which she had meditated deeply only now. "It was in 1972 that Vanni Scheiwiller gave me his little book about Brancusi, and later Mary de Rachewiltz suggested a book called *L'eredità di Brancusi* and gave me a monograph on Brancusi's photographs. Through Brancusi I began to understand what I was doing by making cuts in trees."[44]

Her interest in verticality, evident in *Gates*, *Closed Books*, and *Trees*, was also stimulated by a trip to Canada in 1980, where Franca was impressed by both the forest of skyscrapers in Montreal and the immense forests of Labrador. However, verticality as if opposed by a horizontal, analytical energy, that produces the notching, the serial rhythm, and the calculation of syllables. The wood is divided into strips, squares, and intarsias, not so much to counteract its ascent as to make it more meditated and more mental. Space is then gained inch by inch, as if matter were woven or braided.[45]

Her interest in verticality, however, was united in the mid-1980s with a concern for the circular form, also awakened by the shapes of the bottoms of the casks and barrels that the artist saw in Franciacorta, in the hills around Brescia, and which inspired the cycle of the *Tondi* (cat. no. 33). The circles of her African season became more regular now, although they retained an ancient cadence, sometimes like that of medieval icons (*Tondo for Wiligelmo*, 1987, cat. no. 29).

Meanwhile, in the first half of the 1980s, Franca finally began showing her work in major exhibitions: first at Mantua's Palazzo della Ragione, then in 1984 in Milan, and in 1985 in Zurich and Munich. From this time on, we will no longer follow the whole list of her exhibitions, often in museums and universities abroad, which can be found in the critical apparatus. We will note only that these prestigious exhibitions were accompanied, as always, by an utter disregard for the market and also for the most militant critics: another sign of her idealistic character and her lucid utopia.

It was, however, a happy period for Ghitti. Her relative seclusion from the official art world (the Venice Biennale significantly never invited her) should not obscure how much her work has always been appreciated in cultural circles in general. A few indications will have to suffice: the review of *Vicinie* in *Alfabeta* in 1981 by Maria Corti, a leading Italian literary critic, the signs of respect expressed by Italo Calvino (with whom she produced the portfolio of *The Invisible Wayfarer* in 1981), as well as Stefano Agosti, a leading Italian French scholar. There are also admirers such as Franco Loi, or the many writers and intellectuals whom we have already quoted. The list could go on.

The season of installations. From *Sundials* to *Other Alphabets* (1987–98)

Around 1987, Ghitti's work developed a new concept of space, with traditional sculpture being joined, so to speak, by a series of installations. Already in the theaterettes of the *Vicinie*, Franca had carried out works in which the shapes annexed the space around them, while in the early 1980s, her works focused on wooden shingles (*Pipmuacan, Labrador*, 1980), or the stones of Pantelleria (1983), heralding new directions for research. Only now, however, did her works systematically create and delimit an environment.

The cycle of the *Sundials*, in which Franca arranged a series of offcuts like spearheads on the ground, in large concentric circles, were no longer matter in space, but matter defining a field (cat. nos. 36–37). They look like ancient encampments around a fire or arsenals of ritual weapons. The sundial, on the other hand, is a solar clock—as is well known—that measures the time by the shadow cast on a wall. Franca's sundials, however,

31. Con Chillida in Spagna nel 2000 / With Chillida in Spain in 2000

ma "è legno antico, quello ricco di venature, inciso, sofferto, scarnificato"[39].

Mentre continua a lavorare alle *Vicinie* (che nel 1980, come abbiamo detto, raccoglie nell'omonima monografia) realizza nel 1979 i primi *Libri chiusi*. Sono blocchi di legno segnati da ostinate centuriazioni, a volte abitati dalle figure che popolano anche le *Vicinie*, più spesso asserragliati nei propri perimetri come erme disassate (cat. 22). La loro fisionomia non ricorda biblioteche, università, librerie, ma piuttosto totem e talismani, strumenti musicali senza suono, erbari di legno. Sarebbero piaciuti a Mallarmé, che aveva letto tutti i libri ma certo non questi, sigillati nel loro silenzio, nella loro enigmaticità. Non è un caso che Carlo Bertelli, presentandoli, parli di un "continuo attacco fra le forze della natura e quelle dell'uomo"[40].

E non è un caso che, poco dopo questi *Libri chiusi* così antintellettuali, Franca realizzi, all'inizio degli anni ottanta, il ciclo vegetale degli *Alberi* e del *Bosco*, che riprende le stesse forme ascensionali, primigenie, potenzialmente illimitate, dei *Libri*. "Il *Bosco* di Franca Ghitti cresce sull'albero-libro" osserva Fausto Lorenzi[41].

L'albero è un elemento che affascina Franca fin dall'infanzia e diventerà uno dei motivi prediletti della sua scultura sia in legno che in ferro. Ricorda lei stessa: "Il primo albero-scultura che ho realizzato è nato quando un giorno nella segheria di mio padre ho visto gli alberi che venivano scartati, giudicati inadatti dopo un taglio verticale. Tra il taglio verticale e quello orizzontale ho cominciato a fare delle tacche, in un ritmo di positivo e negativo: una tacca sì e una tacca no. Il segantino non capiva cosa volessi, ma mi suggeriva come poteva essere fatto tecnicamente il taglio"[42].

Anche negli *Alberi* (cat. 27), dunque, quello che attrae l'artista non è l'imponenza del tronco o il rigoglio della vegetazione, ma la scansione, il ritmo e insieme lo scarto, tutto quello che è lasciato da parte (come lo sono le culture cosiddette primitive e i saperi non laureati) e invece si rivela fondamentale. Così l'opera parla "delle nostre radici perdute eppure continuamente ricercate"[43].

Alle suggestioni della materia si mescola l'eco delle numerazioni senza fine di Brancusi: un Brancusi che Franca aveva visto a Parigi, ma su cui solo ora medita profondamente. "Fu nel 1972 che Vanni Scheiwiller mi regalò il suo volumetto su Brancusi, e in seguito Mary de Rachewiltz mi suggerì un libro intitolato *L'eredità di Brancusi* e mi regalò una monografia su *Brancusi photographe*. Tramite Brancusi ho cominciato a capire quel che andavo facendo attraverso il taglio dell'albero"[44].

L'interesse per la verticalità, evidente nei *Cancelli*, nei *Libri chiusi*, negli *Alberi*, è stimolato anche da un viaggio in Canada del 1980, dove Franca rimane impressionata sia dalla selva di grattacieli di Montreal che dagli immensi boschi del Labrador. Tuttavia la verticalità è come contrastata da un'energia orizzontale, analitica, che conduce all'intaglio, al ritmo seriale, al calcolo delle sillabe. Il legno è suddiviso in liste, quadrati, tarsie, non tanto per contrastarne l'ascesa, quanto per renderla più meditata e più mentale. Lo spazio è quindi conquistato palmo a palmo, come se la materia fosse tessuta o intrecciata[45].

All'interesse per la verticalità, comunque, si affianca verso la metà degli anni ottanta un'attenzione alla forma circolare, risvegliata anche dalla forma dei fondi di botti e barili che l'artista vede in Franciacorta, nelle colline intorno a Brescia, e che le ispira il ciclo dei *Tondi* (cat. 33). I cerchi della stagione africana diventano ora più regolari, anche se mantengono una cadenza antica, a volte da icone medioevali (*Tondo per Wiligelmo*, 1987, cat. 29).

Intanto, a partire dalla prima metà degli anni ottanta Franca inizia finalmente a esporre in grandi mostre: prima a Mantova, a Palazzo della Ragione, poi nel 1984 a Milano, e, nel 1985, a Zurigo e Monaco. Da questo momento non seguiremo più tutto l'elenco delle sue esposizioni, spesso in musei e università internazionali, per le quali rimandiamo agli apparati critici. Notiamo solo che queste mostre prestigiose si accompagnano nell'artista, come sempre, al totale disinteresse per il mercato e anche per la critica più militante: un altro segno del suo carattere idealista e di una sua lucida utopia. È un momento comunque felice per Ghitti. La sua posizione relativamente appartata nel mondo dell'arte ufficiale (non è un caso che la Biennale di Venezia non l'abbia mai invitata) non deve far dimenticare quanto il suo lavoro sia sempre stato apprezzato più in generale dal mondo della cultura. Possono bastare pochi indizi: pensiamo alla recensione di *Vicinie* firmata nel 1981 su "Alfabeta" da Maria Corti, protagonista della critica letteraria italiana; pensiamo ai segni di stima che le manifestano Italo Calvino (con cui realizza

are not set on a wall but on the ground and measure not space but time.

In this respect, one might instance Richard Long, present at that time in Italy with an exhibition at Milan's Padiglione d'Arte Contemporanea in 1985, curated by Marco Meneguzzo. Close only in some respects to Land Art, which is characterized by large-scale works that alter the natural environment, the British artist collected rocks and stones from rivers or hills, and took them to galleries and museums, where he arranged them on the floor in stripes, spirals, and circles. Apparently as Franca did, in many works. In reality, Franca only came to know Long's work in 1994. Beyond certain formal similarities, what interested her was not the relationship with nature sought by Long, but the relationship with history. The forgotten and marginal history that no one has ever recounted, the maps of lines written on stones, in forges, on the walls of the huts, and then restored to life with the humble and skillful gesture that tirelessly repeats the same votive formula, the same rough and essential form. Sculpture thus becomes like a storehouse of signs. For her, in short, the *Sundials* are not the irruption of natural force into a cultural space, as with Richard Long, but the reconstruction of a work of place and memory. "I continue to intervene by selecting and rearranging [offcuts] in large circles of black earth, reconstructing their natural place, namely the forge," she declared.[46] She added: "My work in sculpture sought to transform a geometric space into a historic space, reinventing the 'place of sculpture' as a deposit and archive of the territory."[47]

Of course, her works were no longer figure or form, but path ("I claim for the artist the ability to signal a direction, to trace a path," wrote Franca). And the memory of the gestures they enclose differentiates them from Land Art, or other forms of installation. Her works, then, "are not even sculptures in the sense given to this word. I do not just mean the deliberate absence of the three-dimensional, which is evident, but also the concept of installation, which is rethought. … On the one hand there is the constant repetition of elements that return, but the gesture that I make is also important. This goes back to a *metis* (intelligence of the hand), which I as an artist take over from the generations that made these gestures."[48]

Franca, in short, rethought the installation in the light of her visionary craft, her world interwoven with forgotten echoes. Her sculptures may be virtual thresholds: doors, gates, fences of non-existent architectures (*Installation No. 5*, 1987). Or they may be *Tables of Offerings* (1987) on which are laid rows of smelting pots, used to gather the molten metal. They suggest not just a banquet of gnomes, but also the concavity of the erratic boulders called *cuppellari* so widespread in the Val Camonica (fig. 32). They may also be imaginary walls, panels or screens pushed together which extend in space and express, longitudinally, the same vertical tension as *Trees* (*Homage to Sant'Elia*, 1988). "Grates that separate worlds, that stop the crumbling of the times," as Schönenberger described them.[49]

All of these "places" tend to become architecture. Ghitti has repeatedly theorized the dialogue of her sculpture with building, while clarifying the diversity of her work from a building or urban project. "My work measures itself with architecture, because it is equally full of constructive tension; but the task of architecture is to give a design to a territory; the task of my sculpture is to reunite in a network—as in the weaving of a mesh—the memory of the community that inhabits the territory."[50] Hers, one might say, is an architecture of time.

In the early 1990s, the exhibition "Homage to Brancusi" traveled from Oradea in Transylvania and then, with substantial modifications, to various other venues, conceptually repeating the journey from Romania to Paris that Brancusi had made on foot earlier in the century. In it, Ghitti exhibited a kind of wall that was a sculpture-architecture. The series of *Homages to Sant'Elia*, dedicated to the Futurist architect (cat. no. 30), culminating in an exhibition at the Galerie Mielich-Werber in Munich in 1992, were also an indication of her interest. The same was true, by their very size, of the numerous monuments she produced in these years in Val Camonica: the *War Memorial. Door of Silence* (1986) in Cerveno (a metal door that gives a glimpse, almost like a sign of hope, of the water from a fountain and the mountains in the background), the vertical checkerboard of the *Place of the Vicinie* (1991) at Niardo, the great *Tree-Cross*, *Monument to Falcone and Borsellino* (1993) the *Vicinie*, the *Witnesses*, and the *Table of Offerings* (1994) at Gianico.[51]

la cartella *Il viandante invisibile* sempre nel 1981) e Stefano Agosti, uno dei maggiori francesisti italiani. Pensiamo, ancora, a suoi estimatori come Franco Loi o come i tanti scrittori e intellettuali che abbiamo già avuto occasione di citare. E l'elenco potrebbe continuare a lungo.

La stagione delle installazioni. Dalle *Meridiane* agli *Altri alfabeti* (1987-1998)

Intorno al 1987 il lavoro di Ghitti sviluppa un nuovo concetto di spazio e affianca alla scultura, per così dire, tradizionale, una serie di installazioni.
Già nei teatrini delle *Vicinie* Franca aveva realizzato opere in cui le figure annettevano lo spazio che avevano intorno, mentre all'inizio degli anni ottanta i lavori incentrati su tegole di legno (*Pipmuacan, Labrador*, 1980), o sulle pietre di Pantelleria (1983), preannunciavano nuove direzioni di ricerca. Solo ora però le sue opere creano e delimitano in modo sistematico un ambiente.
Il ciclo delle *Meridiane*, in cui Franca dispone per terra in ampi cerchi concentrici una serie di sfridi simili a punte di lance, non sono più materia nello spazio, ma materia che definisce uno spazio (cat. 36-37). Sembrano antichi accampamenti intorno al fuoco o arsenali di armi rituali. La meridiana, d'altra parte, è un orologio solare – come si sa – che misura il tempo grazie all'ombra proiettata sul muro. Le meridiane di Franca, invece, non stanno sulla parete ma sul terreno e adempiono un ruolo di misurazione non dello spazio ma del tempo.
Si potrebbe avanzare, a questo proposito, il nome di Richard Long, presente in quel periodo anche in Italia con una mostra al Padiglione d'Arte Contemporanea di Milano del 1985, curata da Marco Meneguzzo. Vicino solo per certi aspetti alla Land Art, cioè a un'arte che tendeva alla realizzazione di grandi opere che modificavano l'ambiente naturale, l'artista inglese raccoglieva pietre e sassi lungo fiumi o alture e li portava in gallerie e musei, dove li disponeva sul pavimento in strisce, spirali, cerchi. Apparentemente come, in molte opere, faceva Franca.
In realtà la conoscenza di Long avviene per l'artista italiana solo nel 1994. E in effetti, al di là di certe affinità formali, quello che interessa a Ghitti non è il rapporto con la natura cercato da Long, ma il rapporto con la storia: quella storia dimenticata e marginale che nessuno ha mai narrato, quella mappa di linee scritte sulle pietre, nelle fucine,

sui muri delle baite, riportate in vita con un gesto umile e sapiente che ripete senza stancarsi la stessa formula votiva, la stessa forma scabra e sintetica.
La scultura, così, diviene una madia di segni. Per lei, insomma, le *Meridiane* non sono l'irruzione della forza naturale in uno spazio culturale, come in Richard Long, ma la ricostruzione di un luogo del lavoro e della memoria. "Continuo a intervenire selezionando e riorganizzando [gli scarti] in grandi cerchi di terra nera, ricostruendo il loro luogo naturale e cioè la fucina" dichiara[46]. E aggiunge: "Il mio lavoro in scultura tenta di trasformare uno spazio geometrico in uno spazio storico, reinventando il 'luogo della scultura' come deposito e archivio del territorio"[47].
Certo, le sue opere non sono più figura o forma, ma percorso ("Rivendico all'artista la possibilità di segnalare una direzione, di tracciare un percorso" scrive ancora Franca), e appunto la memoria dei gesti che racchiudono le differenzia dalle ricerche della Land Art o da altre forme di installazione. I suoi lavori, allora, "non sono neanche scultura nel significato che si dà a questa parola. Non mi riferisco alla voluta assenza del tridimensionale che è evidente, ma anche al concetto di installazione, che viene ripensato. […] Da una parte c'è la ripetizione di elementi costanti che ritornano, ma è anche importante il gesto che compio. Questo risale a una *metis* (intelligenza della mano) che io come artista riprendo da generazioni che hanno compiuto questi gesti"[48].
Franca, insomma, ripensa l'installazione alla luce del suo "artigianato" visionario, del suo mondo intessuto di echi dimenticati. Le sue sculture possono essere soglie virtuali: porte, cancellate, staccionate di architetture inesistenti (*Installazione n. 5*, 1987). Oppure possono essere *Tavole delle offerte* (1987) su cui sono apparecchiate file di coppelle: quei piccoli contenitori usati per raccogliere i metalli fusi, che fanno pensare a un banchetto di gnomi, ma anche alle concavità dei massi erratici, chiamati appunto cuppellari, così diffusi in Valle Camonica (fig. 32).
Possono essere, ancora, pareti immaginarie, pannelli o paraventi accostati che si allungano nello spazio e che esprimono, longitudinalmente, la stessa tensione verticale degli *Alberi* (*Omaggio a Sant'Elia*, 1988). "Grate che separano mondi, che fermano lo sgranarsi dei tempi", li definisce Schönenberger[49].

Such great constructive intensity could only give rise to an image of the city. In 1994 Franca brought together most of her sculptures, especially the smaller ones, in the exhibition "The City and its Imprint," held at New York University. "My city multiplies Brancusi's *Infinity Column*," she stated.[52] Her *Books*, *Trees*, and *Forests* now formed a city of signs, into which flowed the impressions aroused in her by New York, where at this time she had growing contacts and where she began to exhibit in the 1990s. Franca's was an ancient contemporary city. It was an agglomeration of prehistoric skyscrapers and ancient modernity, a Manhattan with buildings that looked like whale flippers awaiting a harpooner or sacred mountains awaiting sacrifices.[53] Yet that primordial world, where the buildings resembled Egyptian fans rather than the blocks of so much Functionalist architecture (and anticipating, indeed, some recent anti-orthogonal architecture), also revealed a profound harmony, thanks to the dense and regular grid amalgamating the forms in an identical, unified, egalitarian rhythm.

Her reflection on the city was followed in around 1998 by a meditation on language, on which Franca had always conducted in her work, but now expressed explicitly in the cycle *Lost Alphabets* and *Other Alphabets* (cat. no. 42). Rather, now her sculptures were explicitly interpreted as a vocabulary: a lectionary of languages culpably forgotten, which the artist had rediscovered. Notches, nodes, smelting pans, she observed, "are not only lost or neglected, but are no longer read for what they signified. They are 'lost alphabets' not only because literacy has gradually destroyed these forms of language, but also because the universe of signs which they were part of has today been lost.[54] (On the theme of *Lost Alphabets*, she also gave a lecture at the Institute of Culture in New York in 1998.)

The *Other Alphabets* turn away from the "unbridled flow of inert and external languages of actuality," as Claudio Cerritelli wrote.[55] They are part of the *Maps*, which Franca never ceased to turn out. "New maps of existence" Paolo Biscottini termed them.[56] They would then form part of the *Measurements*, which were also a recurrent theme in her work, and installations in which she was now imprisoning earth and various materials. It was a form of Arte Povera, not because it

followed the trend theorized by Germano Celant, although it explored the possibilities of extra-artistic elements, but because it had always been Arte Povera. And these last works were also chapters of the repressed cartography that Franca continued to trace piece after piece, a cartography that proceeded by elementary repetitions, in keeping with a pattern of voids and solids that could be continued to infinity, and which evoked the infinite even when, paradoxically, it recovered the poverty of the finite. "Franca always captures the power of time, that mysterious factor that dominates humanity," wrote Maria Antonietta Crippa.[57] In this period, the theme of water also became recurrent in her work. Since the late 1960s, when she painted the time of floods and hail, Franca was attracted to water, not as a picturesque or landscape element, but as a biblical scourge. What interested her about water was its dimension as sign (the ribbons of rivers that trace riverbeds, bends and banks in the valleys) or its function (the rains that wash the fields or waterfalls that produce energy to work sawmills, flour mills and forges). In 1988 she exhibited *Waterfall* in her anthological exhibition at Palazzo Braschi in Rome. Now, however, starting from the homonymous work of 1995 (cat. no. 40), built as interwoven offcuts, her sculptures on the theme of water were created in a long mesh that became brighter and lighter. Water, Franca wrote in a note, is "a liquid and volatile substance, whose weight is lightness," and this *levitas* inspired her works. Waterways became ways of light.

The last season. From *Nailed Pages* to *The Last Supper*

The millennium opened happily for Ghitti, who in spring exhibited at the OK Harris Gallery in New York (fig. 33), established in Soho in 1969 by Ivan Karp who had been an assistant director for twenty years at the gallery owned by Leo Castelli, the legendary dealer of the greatest masters of Pop Art. The OK Harris Gallery was the first to exhibit sculptors who later became famous, such as Duane Hanson, and had a different range of action to the galleries where Franca had exhibited previously.

During the exhibition, Ghitti published the text *Altri alfabeti*, which we have already cited several times, in which she rethought her career as an artist as an

32. Coppelle / Smelting pans

Tutti questi "luoghi" tendono a diventare architettura. Ghitti ha più volte teorizzato il dialogo della sua scultura con la costruzione, pur chiarendo le diversità del suo lavoro da un progetto edilizio o urbanistico. "Il mio lavoro si confronta con l'architettura, perché è altrettanto carico di tensione costruttiva: ma compito dell'architettura è dare un disegno a un territorio, compito della mia scultura è la ricucitura in una rete – come nella tessitura di una maglia – della memoria della comunità che abita il territorio[50]." La sua, si potrebbe dire, è un'architettura del tempo.

Agli inizi degli anni novanta, alla mostra "Omaggio a Brancusi", che muove dalla città di Oradea, in Transilvania (e poi si sposta, con modifiche sostanziali, in varie sedi, ripetendo idealmente il viaggio dalla Romania a Parigi che Brancusi aveva compiuto a piedi all'inizio del secolo), Ghitti espone una sorta di parete che è ormai una scultura-architettura. Anche la serie di *Omaggi a Sant'Elia* dedicati all'architetto futurista (cat. 30), che culminano con una mostra alla Galerie Mielich-Werber di Monaco nel 1992, è un indizio del suo interesse. Come lo sono, per le loro stesse dimensioni, i numerosi monumenti che esegue in questi anni in Valle Camonica: il *Monumento ai Caduti. Porta del silenzio*, 1986, di Cerveno (una porta metallica che lascia intravedere, quasi come un segno di speranza, l'acqua di una fonte e la montagna sullo sfondo); la scacchiera verticale del *Luogo delle Vicinie*, 1991, a Niardo; il grande *Albero-Croce, Monumento a Falcone e Borsellino*, 1993, le *Vicinie*, i *Testimoni*, il *Tavolo delle offerte*, 1994, di Gianico[51].

Tanta tensione costruttiva non poteva non dar luogo a un'immagine di città. Nel 1994, infatti, Franca riunisce gran parte delle sue sculture, soprattutto di piccole dimensioni, nella mostra "La città e la sua impronta", che tiene alla New York University. "La mia città moltiplica la *Colonna infinita* di Brancusi" dichiara[52].

I *Libri*, gli *Alberi*, i *Boschi* formano ora una città di segni, in cui confluiscono anche le impressioni che le suscita New York, con cui da questo momento ha sempre maggiori contatti e dove negli anni novanta comincia a esporre. Quella di Franca è una città contemporanea antichissima. È un agglomerato di grattacieli preistorici e di modernità millenarie, una Manhattan con palazzi che sembrano pinne di balena in attesa di un ramponiere o montagne sacre in attesa di sacrifici[53].

Eppure quel mondo primordiale, dove gli edifici ricordano i ventagli egizi più che i parallelepipedi di tanta architettura razionalista (e anticipano, anzi, certi esiti antiortogonali dell'architettura recente), rivela anche una profonda armonia, grazie alla fitta e regolare quadrettatura che amalgama le forme in un ritmo identico, unitario, egualitario.

Alla riflessione sulla città si affianca intorno al 1998 la meditazione sul linguaggio, che Franca aveva sempre condotto nel suo lavoro, ma che ora si esprime esplicitamente nel ciclo *Alfabeti perduti* e *Altri alfabeti* (cat. 42). O, per meglio dire, ora le sue sculture sono esplicitamente interpretate come un vocabolario: un lezionario di linguaggi colpevolmente dimenticati che l'artista riscopre. Tacche, nodi, coppelle, nota lei stessa (sul tema dei *lost alphabets* nel 1998 tiene anche una conferenza all'Istituto di Cultura di New York), "non solo sono dispersi e non utilizzati, ma non vengono più letti per quello che significavano. Sono 'alfabeti perduti' non solo perché l'alfabetizzazione ha distrutto via via queste forme di linguaggio, ma anche perché l'universo di segni di cui erano parte oggi si è perso"[54].

Degli *Altri alfabeti*, che si allontanano dal "flusso sfrenato dei linguaggi inerti ed esteriori dell'attualità", come ha scritto Claudio Cerritelli[55], fanno parte le *Mappe*, che Franca non smette di realizzare. "Nuove mappe dell'esistenza" le definisce Paolo Biscottini[56]. Ne fanno poi parte le *Misurazioni*, anch'esse tema ricorrente del suo lavoro, e le installazioni in cui ora imprigiona terre e materiali vari. È un'arte povera, la sua, non perché guardi alla tendenza teorizzata da Celant – anche se esplora le possibilità di elementi extrartistici – ma perché è sempre stata un'arte povera. E anche questi ultimi sono capitoli di quella cartografia del rimosso che Franca continua, opera dopo opera, a tracciare: una cartografia che procede per ripetizioni elementari, secondo uno schema di vuoti e pieni alternati che può continuare all'infinito. E che all'infinito fa pensare proprio mentre, paradossalmente, recupera la povertà del finito. "Franca cattura ogni volta il potere del tempo, quella misteriosa componente che sovrasta l'uomo" ha scritto Maria Antonietta Crippa[57]. Sempre in questo periodo il tema dell'acqua diventa ricorrente nel suo lavoro. Fin dagli anni sessanta, quando dipingeva il tempo delle inondazioni e della grandine, Franca era attratta dall'acqua, non

unbroken quest for a lost alphabet (which was also a search for lost time, her childhood, and her roots).

She held a series of solo exhibitions whose theme was the *Gates of Europe*: in Monaco and Bilbao in 2000, in Vienna in 2002, at the Cooper Union, New York, in 2003 (to an invitation from Margaret Morton), at the Catholic University in Brescia, the Milan Polytechnic (cat. nos. 49–50) and the Houston School of Architecture in 2006. Sometimes her *Gates* were laid on a bed of charcoal or soil, yet the material, so prosaic, "always gained a poetic value."[58]

Soon after, in around 2007, she began a new series of works, *Nailed Pages*, which Franca again presented at the OK Harris Gallery. They were, as the title says, sheets of paper (and then objects) pierced by long rows of nails (cat. nos. 52–54). As we have seen, nails had always haunted the artist's imagination. But now the work's skin resembled a shroud, and the piercing evoked a painful act. The nail no longer generated punctuation, as in *Rituals*, but a wound. There is a dramatic cadence in these works, which seem to embody something of the series of Calvaries, Crucifixions and Viae Cruces of the Brescian school. True, a nail may also express a tie or repair, but here its aggressive value prevailed over the artisanal. Despite its linear and abstract form, what it revealed above all was the non-formalistic,

indeed the painful dimension that every sign possesses. You cannot *leave a sign*, or remain *signed*, as language eloquently reminds us, without the intervention of what doctors call "the element of pain." And it is this common law (of life, even more than art) that Franca's sculpture evokes. The *Grammar of Nails*—as the artist dubbed all her "nailed" works from 1963 until the last, when they were presented in the foyer of the Bocconi University in 2011—had become a painful syntax.

As Boccardi wrote in a poem[59] dedicated to the artist:

A book of nails,
a spiked gate
and beyond
what we would like to be,
what we are unable
to be.
The night hides
Hammer blows,
while a storm is brewing
we feel our wounds smart

Ghitti also produced during this period a *Last Supper*, which she presented in 2010 at the church of Santa Caterina e Gottardo in Erbanno, in 2011 at the Oratory of the Passion at the Basilica of Sant'Ambrogio in Milan, and at the Diocesan

33. Durante la mostra all'OK Harris Gallery, New York, 2000 / During the exhibition at the OK Harris Gallery, New York, 2000

come elemento pittoresco o paesaggistico, ma come flagello biblico. Dell'acqua le interessava la dimensione segnica (il nastro dei fiumi che traccia alvei, anse, argini nelle valli) oppure la dimensione funzionale (le piogge che bagnano i campi o le cascate che producono energia nelle segherie, nei mulini, nelle fucine).

Nel 1988 aveva esposto una *Cascata* nell'antologica a Palazzo Braschi a Roma. Ora però, a partire dall'omonima opera del 1995 (cat. 40), realizzata come una tessitura di sfridi, le sue sculture sul tema dell'acqua si traducono in una lunga maglia che diventa più luminosa e lieve. L'acqua, scrive Franca in un appunto, è "una materia liquida e volatile, il cui peso è leggerezza" e a questa *levitas* si ispira nelle sue opere. Le vie d'acqua diventano vie di luce.

L'ultima stagione. Dalle *Pagine chiodate* all'*Ultima cena*

Il duemila si apre felicemente per Franca Ghitti, che in primavera espone alla OK Harris Gallery di New York (fig. 33). Fondata a SoHo nel 1969 da Ivan Karp, che era stato direttore aggiunto per vent'anni della galleria di Leo Castelli, il leggendario mercante dei più grandi maestri della Pop Art, la OK Harris Gallery era stata la prima a esporre scultori poi divenuti famosi come Duane Hanson. E comunque aveva un altro raggio d'azione rispetto alle gallerie dove finora Franca aveva esposto.

In occasione della mostra Ghitti pubblica il testo *Altri alfabeti*, che abbiamo già più volte citato, in cui ripensa al suo percorso di artista come a un'ininterrotta ricerca dell'alfabeto perduto (che per lei è, anche, una ricerca del tempo perduto, della sua infanzia, delle sue radici).

Tiene inoltre una serie di personali che hanno per tema i *Cancelli d'Europa*: a Monaco e Bilbao nel 2000; a Vienna nel 2002; alla Cooper Union di New York nel 2003 (su invito di Margaret Morton); all'Università Cattolica di Brescia, al Politecnico di Milano (cat. 49-50) e alla facoltà di Architettura di Houston nel 2006. A volte i suoi *Cancelli* sono appoggiati su un letto di carbone o di terriccio, eppure la materia, così prosaica, "assume sempre un valore poetico"[58].

Poco tempo dopo, intorno al 2007, nasce un nuovo ciclo di lavori, le *Pagine chiodate*, che Franca presenta ancora alla OK Harris Gallery. Sono, come dice il titolo, fogli (e, più tardi, oggetti) trafitti da una lunga sequenza di chiodi (cat. 52-54).

I chiodi, come abbiamo visto, avevano sempre ossessionato la fantasia dell'artista. Ora però la pelle dell'opera si presenta come una Sindone e la trafittura evoca un atto doloroso. Il chiodo non genera più una punteggiatura, come nei *Rituali*, ma una ferita. C'è insomma una cadenza drammatica in questi lavori, che sembrano racchiudere qualcosa dei Calvari, delle Crocifissioni, delle Vie Crucis della Scuola bresciana. Certo, il chiodo può avere anche un significato di legame e di ricucitura, ma la valenza aggressiva prevale questa volta su quella artigianale. Nonostante la sua forma lineare e astratta, quello che soprattutto rivela è la dimensione non formalistica, anzi sofferta, che ogni segno possiede. Non si può *lasciare il segno*, né rimanere *segnati*, come eloquentemente ci ricorda il linguaggio, senza che intervenga quello che i medici chiamano "l'elemento dolore". Ed è a questa comune legge (della vita, prima ancora che dell'arte) che la scultura di Franca si richiama. La *Grammatica dei chiodi* – come l'artista ribattezza tutto il suo lavoro "chiodato" dal 1963 fino agli esiti più recenti, quando lo presenta nella sala foyer dell'Università Bocconi nel 2011 – è divenuta una sintassi dolorosa.

Un libro di chiodi,
una porta chiodata
e al di là
ciò che vorremmo essere,
ciò che non siamo in grado
di essere.
La notte nasconde
Colpi di martello,
mentre s'annuncia un temporale
sentiamo bruciare le ferite

scrive Boccardi in una poesia dedicata all'artista[59]. Sempre in questo periodo Ghitti realizza un'*Ultima cena*, che presenta nel 2010 nella chiesa di San Gottardo a Erbanno, nel 2011 all'oratorio della Passione presso la basilica di Sant'Ambrogio a Milano e al Museo Diocesano di Brescia (cat. 60-64). Nell'opera riprende un dipinto del 1963 in cui aveva raffigurato il Cenacolo e lo rielabora alla luce delle sue ultime ricerche spaziali, inglobandolo in un'installazione. Dispone a terra, su una lunga pagina di carta nera, tre file di coppelle di ferro che contengono una manciata di semi, come un'allusione a un alimento senza tempo.

Museum in Brescia (cat. nos. 60–64). In it she drew on top of a 1963 painting, in which she had depicted the Last Supper and reworked it in the light of her most recent spatial experiments, incorporating it in an installation. On the ground, on a long sheet of black paper, she arranged three rows of iron smelting pans containing a handful of seeds, as an allusion to timeless food. She then alternated the pans (the work's composition differed in the three exhibitions) with two round loaves and twelve spoons, symbols of the twelve apostles.

The work contains a cadence reminiscent of Jannis Kounellis. Franca, after all, despite her solitary course, was far from uninformed about contemporary developments and had never become entrenched in a rejection of the new. The echoes of the Greek artist, however, were reabsorbed and reworked in her very personal poetry, abstract-minimalist rather than Arte Povera.

Apart from formal innovations, such as the interweaving of painting and sculpture, and the use of extra-artistic materials typical of Conceptual Art, *The Last Supper* is an extraordinary iconographic invention. For the first time, in the millennial history of the subject, the theme of craft work entered into the representation of the Last Supper. The bowls of foundry ladles evoke the Eucharistic banquet, but also blacksmiths' forges, and the molten metal poured after fusion.

The sharp rods on the backs of the blades, moreover, suggest the idea of aggressiveness. Thursday's Supper was followed by Friday's Passion, and the work also alludes to the violence of history: the unjust trials, oppression by the powerful, the murderers of the innocent and the vanquished. Time finally merges into an eternal present, where the Palestine of Christ is superimposed onto the modern age of the spoons, and the bread of the day before yesterday of the Middle Ages of the figures, inspired by provincial Romanesque, as in Klee and Chagall. Christ's supper, in which a whole community ideally participates, is embodied in everyday life, in everyday work and food.

The Last Supper also evokes a leave-taking. In 2010, as she was engaged in this work, Franca had been struggling for a year against an illness that would overcome her, and a sense of farewell, a heartfelt farewell, is silently part of the composition, which remains one of her last works.

Ghitti died on Easter Sunday, April 8, 2012. More than twenty years earlier, when I met her in her studio in Via Concordia in Milan, at the height of her artistic maturity, she said of herself: "I would like my work to be remembered as labor. I've never had a Romantic idea of art as emotion, sensation, a private thing. I've always sought some sort of documentation, information, or record. I did not seek a voice of my own, but all voices, especially the voices that no one listened to: the voices of the Valley, which is a fragment of the valley of the world."[60]

[1] As borne out by those who knew her, Franca saw Richard Long's work for the first time in New York in 1994, at his exhibition in the New York Public Library. Ghitti was in America with Maria Luisa Ardizzone, engaged at the time in studies and research that led her to frequent the library.

[2] She wrote Marco Meneguzzo: "A substantial risk jeopardizes Ghitti and her sculptures … to become, or continue to be considered, a local glory": M. Meneguzzo, "Matrix," in *Ferro_terra_fuoco_legno*, exhibition catalogue, edited by F. Lorenzi and M. Meneguzzo, MUSIL, Cedegolo, July 11– November 2, 2014, p. 21).

[3] Carrà was not the only one who thought so. Sironi, as Graziella Sarno, who was her pupil, relates, and felt respect for her, but only as if she were an exception in the whole world of women. Once (around 1947, the year of Franca Ghitti's *Figure Seated by a Fireplace*, fig. 1) some women students from Brera went to see him and he tried to dissuade them. "Painting is a difficult art," he said, "and your lives could be so beautiful! Think of love, your beauty, and quit canvases and brushes."

[4] Only a few years earlier, at the Quadrennale in Rome in 1935, the critic Francesco Callari wrote: "I have always been an enemy of amateurism, and most women, in everything they do—except for love—display this quality, though they do it gracefully" (F. Callari, "La II Quadriennale d'Arte," in *Conquiste*, Rome, February 1935, p. 37). And another critic, usually sensitive and acute, Piero Torriano, lumping together all the women taking part in the Quadrennale, observed: "And they go along a delectable path, flowery with elegance and affectation and superficial impressions, at the end of which can already be glimpsed a manner midway between Arcadia and confectionery" (P. Torriano, "La seconda Quadriennale d'Arte Nazionale," in *L'Illustrazione Italiana*, March 10, 1935).

[5] F. Ghitti, "Dal quaderno di lavoro," in *Franca Ghitti. Omaggio a Brancusi*, edited by M. L. Ardizzone (Milan: V. Scheiwiller, 1997), p. 11.

[6] F. Ghitti, unpublished interview with the writer (1988).

[7] F. Ghitti in *Memoria del ferro*, video by Davide Bassanesi, 2011 (https://www.youtube.com/watch?v=k7YTT9cO8eE).

[8] F. Ghitti, "Dal quaderno di lavoro," now in *Franca Ghitti. Omaggio a Brancusi*, p. 11.

[9] F. Ghitti, unpublished interview with the writer (1988).

[10] F. Ghitti in *Memoria del ferro*.

[11] Marino was then one of the few Italian sculptors of international renown. In 1949 he had a major presence in the exhibition "Twentieth Century Italian Art" at the MoMA, New York, while in 1950 he had a solo exhibition at the Curt Valentin Gallery, also in New York. On this occasion he met Stravinsky, whose portrait he fashioned: the first of a cycle of "illustrious men," from Arp to Mies van der Rohe and Dalí. The portraits and other international experiences were the prelude to accolades that culminated in 1952, when Marini received the grand prize for sculpture at the Venice Biennale.

[12] E. Fezzi in *Franca Ghitti. Orme del tempo*, texts by G. Marchiori, E. Fezzi, L. Goff and V. Scheiwiller (Milan, 1974), p. 17.

[13] G. Gaioni, *Un'interessante mostra. La giovane Franca Ghitti espone a Boario Terme*, an undated newspaper clipping [but in September 1954], Ghitti Archive, Cellatica (Brescia).

[14] F. Ghitti in Franca *Ghitti, Giulia Napoleone. Opere 1963-1994*, exhibition catalogue, edited by I. Millesimi, Brescia, Palazzo Martinengo, March 17 – April 25, 1995 (Brescia, 1995), p. 108.

Alle scodelle alterna poi a volte (la composizione dell'opera è diversa nelle tre esposizioni) due pani rotondi e dodici cucchiai, simbolo dei dodici apostoli.

C'è nel lavoro una cadenza alla Kounellis: Franca, del resto, nonostante il suo percorso in solitaria è tutt'altro che disinformata sulle ricerche contemporanee e non si è mai arroccata in un rifiuto del nuovo. Gli echi dell'artista greco sono però riassorbiti e mimetizzati nella sua personalissima poetica, astratto-minimalista più che poverista.

Al di là delle innovazioni formali come l'intrecciarsi di pittura e scultura, e dell'uso di materiali extrartistici tipico del concettuale, l'*Ultima cena* è una straordinaria invenzione iconografica. Per la prima volta, nella millenaria storia del soggetto, il tema del lavoro artigianale entra nella rappresentazione del Cenacolo. Le tazze di siviera evocano il banchetto eucaristico, ma anche le fucine dei fabbri ferrai, i metalli liquefatti e incandescenti raccolti dopo la fusione. Le aste acuminate sul retro delle pale, inoltre, suggeriscono un'idea di aggressività. Al giovedì della cena segue il venerdì di Passione e l'opera allude anche alle violenze della storia: ai processi ingiusti, alla sopraffazione del più forte, agli assassini dell'innocente e del vinto. Il tempo, infine, si confonde in un eterno presente, dove la Palestina di Cristo si sovrappone all'epoca moderna dei cucchiai, e il pane dell'altroieri al Medioevo delle figure, ispirate al romanico provinciale come a Klee e Chagall. Il convito di Cristo, a cui idealmente assiste un'intera comunità, si incarna nella vita quotidiana, nel lavoro e nel cibo di tutti i giorni. L'*Ultima cena* evoca, anche, un congedo. Nel 2010, quando realizza l'opera, Franca sta lottando da un anno contro un male che avrà ragione di lei e un sentimento di addio, un saluto accorato ed estremo si insinua silenziosamente nella composizione, che resta uno dei suoi ultimi lavori.

Franca Ghitti si spegne l'8 aprile 2012, il giorno di Pasqua. Più di vent'anni prima, una volta che l'avevo incontrata nel suo studio di via Concordia a Milano, nel pieno della maturità artistica, aveva detto di sé: "Vorrei che il mio lavoro fosse ricordato come un lavoro, appunto. Non ho mai avuto un'idea romantica dell'arte come emozione, sensazione, cosa privata, ma ho sempre cercato una sorta di documentazione, informazione, archiviazione. Non ho cercato la mia voce, ma tutte le voci, soprattutto le voci che nessuno ascoltava: le voci della Valle, che è un frammento della valle del mondo"[60].

[1] Come testimonia chi l'ha conosciuta, Franca vede per la prima volta l'opera di Richard Long a New York nel 1994, in occasione di una mostra dell'artista alla New York Public Library. Ghitti si trovava in America con Maria Luisa Ardizzone, allora impegnata in studi e ricerche che la portavano a frequentare spesso quella biblioteca.
[2] Ha scritto Marco Meneguzzo: "Un rischio sostanziale insidia la figura di Franca Ghitti e le sue sculture […] diventare, o continuare a essere considerata, una gloria locale" (M. Meneguzzo, *Matrix*, in *Franca Ghitti. Ferro_terra_fuoco_legno*, catalogo della mostra, Cedegolo, musil – Museo dell'energia idroelettrica di Valle Camonica, 11 luglio-2 novembre 2014, a cura di F. Lorenzi, M. Meneguzzo, Tipografia Color Art, Brescia 2014, p. 21).
[3] Carrà non era l'unico a pensarla così. Sironi, raccontava Graziella Sarno che fu sua allieva, aveva stima per lei, ma come se fosse un'eccezione nell'intero mondo femminile. Una volta (proprio intorno al 1947, l'anno della *Figura seduta davanti a un camino* di Franca Ghitti) alcune studentesse di Brera andarono a trovarlo e lui tentò di dissuaderle: la pittura è un'arte difficile, diceva, e invece la vita per voi può essere così bella! Pensate all'amore, alla vostra bellezza, e lasciate perdere tele e pennelli…
[4] Solo alcuni anni prima, alla Quadriennale di Roma del 1935, il critico Francesco Callari scriveva: "Noi siamo stati sempre nemici del dilettantismo ed il più delle donne in ogni loro manifestazione – tranne che in amore – presentano questo carattere, pur facendolo con grazia" (F. Callari, *La II Quadriennale d'Arte*, in "Conquiste", Roma, febbraio 1935, p. 37). E un altro critico, solitamente sensibile e acuto, come Piero Torriano, facendo un unico fascio di tutte le presenze femminili alla Quadriennale, osservava: "E si va per una via dilettevole, fiorita d'eleganze e di vezzi e d'impressioncine superficiali, in fondo a cui già s'intravede una maniera che sta fra l'Arcadia e la pasticceria" (P. Torriano, *La seconda Quadriennale d'Arte Nazionale*, in "L'Illustrazione Italiana", 10 marzo 1935).
[5] F. Ghitti, *Dal quaderno di lavoro*, in *Franca Ghitti. Omaggio a Brancusi*, a cura di M.L. Ardizzone, V. Scheiwiller, Milano 1997, p. 11.
[6] F. Ghitti, intervista inedita con chi scrive (1988).
[7] F. Ghitti in *Ghitti. Memoria del ferro*, video di Davide Bassanesi, 2011 (https://www.youtube.com/watch?v=k7YTT9cO8eE).
[8] F. Ghitti, *Dal quaderno di lavoro*, in *Franca Ghitti. Omaggio a Brancusi*, cit.
[9] F. Ghitti, intervista inedita con chi scrive (1988).
[10] F. Ghitti in *Memoria del ferro*, cit.
[11] Marino era allora uno dei non molti scultori italiani di fama internazionale. Nel 1949 aveva avuto una presenza di rilievo nella mostra "Twentieth Century Italian Art" al MoMA di New York, mentre nel 1950 aveva tenuto una personale da Curt Valentin, sempre a New York, e in quell'occasione aveva conosciuto Stravinskij di cui aveva eseguito il ritratto: il primo di un ciclo di "uomini illustri", da Arp a Mies van der Rohe a Dalì, che aveva rappresentato. Ritratti ed esperienze internazionali sono il preludio di un cursus honorum che culmina nel 1952, quando Marini riceve il gran premio della scultura alla Biennale di Venezia.
[12] E. Fezzi, in *Franca Ghitti. Orme del tempo*, testi di G. Marchiori, E. Fezzi, L. Goffi, V. Scheiwiller, Milano 1974, p. 17.
[13] G. Gaioni, *Un'interessante mostra. La giovane Franca Ghitti espone a Boario Terme*, ritaglio di giornale senza data [ma settembre 1954], Archivio Ghitti, Cellatica (Brescia).
[14] F. Ghitti, in *Franca Ghitti, Giulia Napoleone. Opere 1963-1994*, catalogo della mostra (Brescia, Palazzo Martinengo, 17 marzo-25 aprile 1995), a cura di I. Millesimi, Darfo Boario Terme 1995, p. 108. Il catalogo contiene l'approfondito testo di Ines Millesimi, *Vita, opere, fortuna critica di Franca Ghitti*. Per una biografia di Franca Ghitti si veda anche l'importante sintesi di Fausto Lorenzi, uno dei critici che ha seguito più da vicino l'artista, in *Ghitti. Altri Alfabeti / Other Alphabets*, catalogo della mostra (Teglio, Palazzo Besta, 2 agosto-30 ottobre 2003), a cura di C. Cerritelli, Milano 2003.
[15] G.V., *Tre tavolozze a Boario. Soldo, Ghitti e Barbieri*, in "Il Giornale di Brescia", ritaglio datato a mano "1956", Archivio Ghitti, Cellatica.
[16] A. Bettini, *Franca Ghitti con spatola e pennelli*, in "La Provincia", Cremona, 14 novembre 1967.

The catalogue contains an analytical text by Ines Millesimi, "Vita, opere, fortuna critica di Franca Ghitti". For a biography of Ghitti, see also the important synthesis by Fausto Lorenzi, one of the critics who followed the artist most closely, in *Ghitti. Altri alfabeti / Other Alphabets*, exhibition catalogue, edited by C. Cerritelli, Teglio, Palazzo Besta, August 2 – October 30, 2003 (Milan, 2003).

[15] G. V., "Tre tavolozze a Boario. Soldo, Ghitti e Barbieri," in *Il Giornale di Brescia*, cutting dated by hand "1956," Ghitti Archive, Cellatica.

[16] A. Bettini, "Franca Ghitti con spatola e pennelli," in *La Provincia*, Cremona, 14 November, 1967.

[17] B. Marini, "Ghitti," in *Biesse*, November 1965.

[18] F. Ghitti in *Battista cercatore di graffiti* (Capo di Ponte, 2007), p. 20.

[19] F. Ghitti, "Mappe," in *Maps / Mapping. Sculptures and installations by Franca Ghitti*, exhibition catalogue, edited by C. Cerritelli, New York, November 18 – December 12, 2004 (Milan, 2004).

[20] E. Fezzi, "Mappe," in *Vicinìe. La terra, i segni nella scultura in legno di Franca Ghitti*, introduction by G. C. Argan (Milan, 1980), p. 13.

[21] E. Fezzi, "Rituali," in *Vicinìe*, p. 23.

[22] F. Ghitti, "Dal quaderno di lavoro," in *Franca Ghitti. Omaggio a Brancusi*, p. 12.

[23] *Vicinie*. The name also appears in an anonymous manuscript, *Scartafasso di vicinie et incanti*, 1765, which Franca knew and which she mentioned to Argan, in 1979–80, when the scholar was preparing the introduction to his 1980 monograph. Argan wanted to give the title *Vicinie e incanti* (the latter term used in the sense of auction sales) to the whole cycle of works with "figures in wood" by the artist, but Franca expressed her misgivings about the word "incanti" and the title remained *Vicinie*. It is perhaps unnecessary to add that, unlike what has sometimes been stated, the concept of *vicinia* arose not withy Argan, but fully belonged to Ghitti's culture and geography of affections.

[24] Dante also speaks of *vicinie*, in the fourth treatise of the *Convivio* and the first book of *De Monarchia*. For a reconstruction of the true meaning of Dante's term, long subject to misunderstandings: M. L. Ardizzone, "Franca Ghitti. Vicinia: un luogo mentale," in *Omaggio a Franca Ghitti. Aperto_art on the border_laboratori e percorsi d'arte*, edited by G. Azzoni (Roccafranca, 2014), p. 68.

[25] E. Fezzi, "Reliquari," in *Vicinìe*, p. 89.

[26] G. C. Argan, "Introduzione," in *Vicinìe*, p. 8.

[27] Ibid.

[28] G. Vanzelli, "Va nel Kenya la ragazza che celebrò l'etica camuna," in *Il Giornale di Brescia*, August 22, 1969.

[29] See *Franca Ghitti. Raccontare, costruire*, exhibition catalogue, with text by B. Passamani, Milan, Bagatti-Valsecchi Museo Archeologico, May 11 – June 11, 1984; Rodengo Saiano, Olivetan Abbey, May–June 1984 (Brescia 1984), p. 8.

[30] F. Ghitti, letter quoted by L. Goffi in *Franca Ghitti. Orme del tempo*, p. 31. Bilharzia is an often fatal disease caused by a flatworm which contaminates fresh water.

[31] F. Ghitti in F. Calzavacca, "L'arte di Franca Ghitti in terra d'Africa," in *Biesse*, May 1972, p. 240.

[32] G. Marchiori, in *Franca Ghitti. Orme del tempo*, p. 13. The reference, not entirely clear, to the "the subterranean spirit of *négritude*" probably refers to the interpretation that Sartre, in the introduction to the *Anthologie de la nouvelle poésie negre et malgache de langue française* of Senghor, 1948, had given to *négritude*, comparing it to Orpheus' descent into the underworld to redeem Eurydice.

[33] E. Fezzi in *Franca Ghitti. Orme del tempo*, p. 18.

[34] Today Maria Luisa Ardizzone is president of the Fondazione Archivio Franca Ghitti, Cellatica (Brescia).

[35] In the case of the *Epigrammi dell'Antologia Palatina*, for example, Ghitti had thrilled to the text while reading a page of the anthology translated by Manara Valgimigli, *Sandalini di bimbo nell'Ade*, and had held an exhibition as a tribute to the great Greek scholar, also making the engravings which then appeares in Scheiwiller's book.

[36] F. Ghitti, "Dal quaderno di lavoro," in *Franca Ghitti. Omaggio a Brancusi*.

[37] P. Petraroia, "Il ferro lieve. Franca Ghitti," in *Ghitti. La ville et son empreinte. Sculptures et installations*, exhibition catalogue, Paris, École nationale supérieure d'architecture de Paris La Villette, October 5–20, 2009 (Brescia, 2009), p. 44.

[38] C. Belli, "Musa inquietante," in *Memoria del ferro. Sculture di Franca Ghitti 1977-1979*, edited by C. Belli (Milan, 1979), p. 7.

[39] S. Grasso, "Arriva una camuna tremila anni dopo," in *La Domenica del Corriere*, March 28, 1981.

[40] C. Bertelli, in *Ghitti. Libro chiuso* (Milan, 1984), p. 10.

[41] F. Lorenzi, *Bosco di Franca Ghitti* (Brescia, 1995), p. 7.

[42] F. Ghitti, "Dal quaderno di lavoro," in *Franca Ghitti. Omaggio a Brancusi*.

[43] M. L. Ardizzone, "L'albero non muore se il sogno resta," in *Giornale di Brescia*, November 21, 1985.

[44] Ibid.

[45] E. Pontiggia, *Ghitti. Il bosco come spazio e ritmo geometrico*, exhibition catalogue, Regensburg, 1989.

[46] F. Ghitti in *Ghitti. Altri Alfabeti / Other Alphabets*.

[47] Ibid. Franca Ghitti's are signs "of iconic memorial" value, as Crispolti wrote: E. Crispolti, "Materia e segno," in *Ghitti. Scultura 1965-1988*, edited by M. Vitta (Milan, 1988), p. 17.

[48] F. Ghitti, "Dal quaderno di lavoro," in *Franca Ghitti. Omaggio a Brancusi*.

[49] W. Schönenberger, "I segni del presente," in *Ghitti. Scultura 1965-1988*, p. 31.

[50] F. Ghitti, "Dal quaderno di lavoro," in *Franca Ghitti. Omaggio a Brancusi*.

[51] "Her installations are beginning to spread all over the territory. … An expressive process spanning the last quarter of a century with a poetic tension that has few precedents in recent history," maintained Corradini, another critics who was aware of Franca at an early date (M. Corradini, in "Bresciaoggi," December 2000 now at http://www.francaghitti.it/catalogoSingolo.jsp?rootID=978&nPagina=11&menu=400).

[52] F. Ghitti in *Franca Ghitti, Giulia Napoleone*, p. 122.

[53] Her architectures, Rossana Bossaglia observes, are "fossilized woodlands, but also archaeological walls, slender and swarming hives and mysterious fortifications, signals of paths for hypothetical, immense lunar roads and, finally, skyscrapers: in which primeval buildings are fused with those of our own era": R. Bossaglia in *Omaggio a Brancusi*, 1993, then in *Wald / Bosco di Ghitti* (Brescia, 1995), p. 30.

[54] F. Ghitti, "Altri Alfabeti," in *Ghitti. Altri Alfabeti / Other Alphabets*, p. 22.

[55] C. Cerritelli, *Altri Alfabeti, infinite persistenze della materia*, in *Ghitti. Altri Alfabeti / Other Alphabets*, p. 15.

[56] P. Biscottini, "Paesaggi inediti per la scultura," in *Ghitti. Memoria del ferro / Iron Memory. Sculture e installazioni / Sculptures and installations*, edited by C. De Carli (Milan, 2006), p. 14.

[57] M. A. Crippa, "Forme del tempo per luoghi di attuale ospitalità," in *Omaggio a Franca Ghitti*, p. 99.

[58] C. De Carli, "Cancelli d'Europa," in *Ghitti. Memoria del ferro / Iron Memory. Sculture e installazioni / Sculptures and installations*, p. 33.

[59] S. Boccardi in *Franca Ghitti. Ultima Cena. Un'installazione* (Brescia, 2012), p. 36.

[60] F. Ghitti, unpublished interview with the writer (1988).

[17] B. Marini, *Franca Ghitti*, in "Biesse", novembre 1965.

[18] F. Ghitti, in *Battista cercatore di graffiti*, Capo di Ponte 2007, p. 20.

[19] F. Ghitti, *Mappe*, in *Maps / Mapping. Sculptures and Installations by Franca Ghitti*, catalogo della mostra (New York, 18 novembre-12 dicembre 2004), a cura di C. Cerritelli, Milano 2004.

[20] E. Fezzi, *Mappe*, in *Vicinie. La terra, i segni nella scultura in legno di Franca Ghitti*, introduzione di G.C. Argan, Milano 1980, p. 13.

[21] E. Fezzi, *Rituali*, ivi, p. 23.

[22] F. Ghitti, *Dal quaderno di lavoro*, in *Franca Ghitti. Omaggio a Brancusi*, cit., p. 12.

[23] Il nome *Vicinie* compare anche in un manoscritto anonimo, *Scartafasso di vicinie et incanti*, 1765, che Franca conosceva e che segnala ad Argan, nel 1979-1980, quando lo studioso stava preparando l'introduzione alla sua monografia del 1980. Argan voleva intitolare *Vicinie e incanti* (quest'ultimo termine inteso nell'accezione di vendite) tutto il ciclo di opere con "figure nel legno" dell'artista, ma Franca aveva avanzato qualche perplessità sulla parola "incanti" e il titolo era rimasto *Vicinie*. Non è forse inutile aggiungere che, a differenza di quanto è stato a volte affermato, il concetto di vicinia non nasce da Argan, ma appartiene totalmente alla cultura e alla geografia di affetti di Ghitti.

[24] Delle vicinie parla anche Dante, sia nel quarto trattato del *Convivio*, sia nel primo libro del *De Monarchia*. Per la ricostruzione del vero significato della parola dantesca, a lungo oggetto di fraintendimenti: M.L. Ardizzone, *Franca Ghitti. Vicinia: un luogo mentale*, in *Omaggio a Franca Ghitti. Aperto_art on the border_ laboratori e percorsi d'arte*, a cura di G. Azzoni, Roccafranca 2014, p. 68.

[25] E. Fezzi, *Reliquari*, in *Vicinie*, cit., p. 89.

[26] G.C. Argan, *Introduzione*, ivi, p. 8.

[27] *Ibidem*.

[28] G. Vanzelli, *Va nel Kenya la ragazza che celebrò l'etica camuna*, in "Il Giornale di Brescia", 22 agosto 1969.

[29] Cfr. *Franca Ghitti. Raccontare, costruire*, catalogo della mostra (Milano, Palazzo Bagatti-Valsecchi Museo Archeologico, 11 maggio-11 giugno 1984; Rodengo Saiano, Abbazia Olivetana, maggio-giugno 1984) con un testo di B. Passamani, Brescia 1984, p. 8.

[30] F. Ghitti, lettera citata da L. Goffi in *Franca Ghitti. Orme del tempo*, cit., p. 31. La bilarzia è un verme dei Platelminti che inquina l'acqua dolce e provoca una malattia mortale.

[31] F. Ghitti in F. Calzavacca, *L'arte di Franca Ghitti in terra d'Africa*, in "Biesse", maggio 1972, p. 240.

[32] G. Marchiori, in *Franca Ghitti. Orme del tempo*, cit., p. 13. L'accenno, non del tutto chiaro, allo "spirito sotterraneo della *négritude*" si riferisce forse alla lettura che Sartre, nell'introduzione alla *Anthologie de la nouvelle poésie nègre et malgache de langue française* di Senghor, 1948, aveva dato della *négritude*, paragonandola alla discesa agli Inferi di Orfeo che cerca Euridice.

[33] E. Fezzi, ivi, p. 18.

[34] Oggi Maria Luisa Ardizzone è presidente della Fondazione Archivio Franca Ghitti, Cellatica (Brescia).

[35] Nel caso degli *Epigrammi dell'Antologia Palatina*, per esempio, Ghitti si era entusiasmata al testo leggendo una pagina dell'*Antologia* tradotta da Manara Valgimigli, *Sandalini di bimbo nell'Ade*, e aveva realizzato una mostra in omaggio al grande grecista, eseguendo anche le incisioni che poi compariranno nel volume scheiwilleriano.

[36] F. Ghitti, *Dal quaderno di lavoro*, in *Franca Ghitti. Omaggio a Brancusi*, cit.

[37] P. Petraroia, *Il ferro lieve. Franca Ghitti*, in *Ghitti. La ville et son empreinte. Sculptures et installations*, catalogo della mostra (Parigi, École Nationale Supérieure d'Architecture de Paris La Villette, 5-20 ottobre 2009), Brescia 2009, p. 44.

[38] C. Belli, *Musa inquietante*, in *Memoria del ferro. Sculture di Franca Ghitti 1977-1979*, a cura di C. Belli, Milano 1979, p. 7.

[39] S. Grasso, *Arriva una camuna tremila anni dopo*, in "La Domenica del Corriere", 28 marzo 1981.

[40] C. Bertelli, in *Ghitti. Libro chiuso*, Milano 1984, p. 10.

[41] F. Lorenzi, *Bosco di Franca Ghitti*, Brescia 1995, p. 7.

[42] F. Ghitti, *Dal quaderno di lavoro*, in *Franca Ghitti. Omaggio a Brancusi*, cit.

[43] M.L. Ardizzone, *L'albero non muore se il sogno resta*, in "Giornale di Brescia", 21 novembre 1985.

[44] *Ibidem*.

[45] E. Pontiggia, *Ghitti. Il bosco come spazio e ritmo geometrico*, catalogo della mostra, Regensburg 1989.

[46] F. Ghitti, in *Ghitti. Altri Alfabeti / Other Alphabets*, cit.

[47] *Ibidem*. Quelli di Franca Ghitti sono segni "di valenza iconica memoriale" ha scritto Crispolti (E. Crispolti, *Materia e segno*, in *Ghitti. Scultura 1965-1988*, a cura di M. Vitta, Milano 1988, p. 17).

[48] F. Ghitti, *Dal quaderno di lavoro*, in *Franca Ghitti. Omaggio a Brancusi*, cit.

[49] W. Schönenberger, *I segni del presente*, in *Ghitti. Scultura 1965-1988*, cit., p. 31.

[50] F. Ghitti, *Dal quaderno di lavoro*, in *Franca Ghitti. Omaggio a Brancusi*, cit.

[51] "Le sue installazioni cominciano a punteggiare il territorio. […] Un processo espressivo che attraversa l'ultimo quarto di secolo con una tensione poetica che ha pochi precedenti nella storia recente" sostiene Corradini, un altro dei critici precocemente attenti a Franca (M. Corradini, in "Bresciaoggi", dicembre 2000, ora all'indirizzo http://www.francaghitti.it/catalogoSingolo. jsp?rootID=978&nPagina=11&menu=400).

[52] F. Ghitti, in I. Millesimi, *op. cit.*, p. 122.

[53] Le sue architetture, osserva Rossana Bossaglia, sono "selve fossilizzate, ma anche muraglie archeologiche, sottili e formicolanti alveari e misteriose fortificazioni, segnali di percorso per ipotetiche, immense strade lunari e, infine, grattacieli: dove le costruzioni primigenie si saldano a quelle della nostra era" (R. Bossaglia, *Omaggio a Brancusi, 1993*, poi in *Wald / Bosco di Franca Ghitti*, Brescia 1995, p. 30).

[54] F. Ghitti, *Altri alfabeti*, in *Ghitti. Altri Alfabeti / Other Alphabets*, cit., p. 22.

[55] C. Cerritelli, *Altri alfabeti, infinite persistenze della materia*, ivi, p. 15.

[56] P. Biscottini, *Paesaggi inediti per la scultura*, in *Ghitti. Memoria del ferro / Iron Memory. Sculture e installazioni / Sculptures and installations*, a cura di Cecilia De Carli, Milano 2006, p. 14.

[57] M.A. Crippa, *Forme del tempo per luoghi di attuale ospitalità*, in *Omaggio a Franca Ghitti*, cit., p. 99.

[58] C. De Carli, *Cancelli d'Europa*, in *Ghitti. Memoria del ferro / Iron Memory. Sculture e installazioni / Sculptures and installations*, cit., p. 33.

[59] S. Boccardi, in *Franca Ghitti. Ultima Cena. Un'installazione*, Brescia 2012, p. 36.

[60] F. Ghitti, intervista inedita con chi scrive (1988).

Opere / Works

1. *Mappa 1* / *Map 1*, 1964
Legni / *Wood*, 69 × 134 × 7 cm

2. *Vicinia di Erbanno / Vicinia
of Erbanno*, 1965
Legno e chiodi / Wood and nails,
90 × 230 × 10 cm

3. *Vicinia di Erbanno* (particolare) / *Vicinia
of Erbanno* (detail), 1965

4. *Rituale* / *Ritual*, 1966-1967
Legno, chiodi e rete metallica / Wood, nails
and wire mesh, 30 × 24 × 2,5 cm

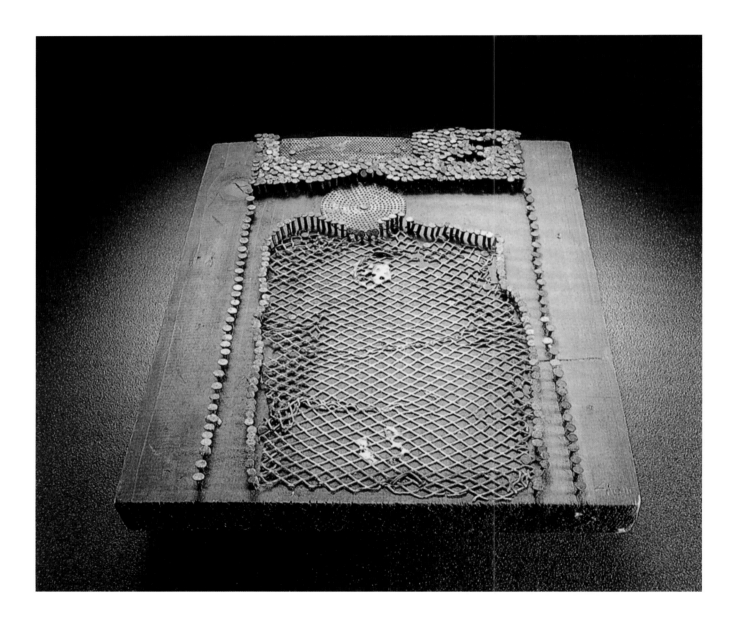

5. *La muta* / *Mute Woman*, 1967
Legno / Wood, 25 × 15 × 10 cm
Milano, Collezione Vanni Scheiwiller / Milan,
Vanni Scheiwiller Collection

6. *La casa di Simone* / *The House of Simon*, 1968
Legno / Wood, 23 × 15 × 8 cm
Collezione privata / Private collection

7. *Mappa di Niardo (n. 3)*, anni sessanta
Map of Niardo (No. 3), 1960s
Tavole, frammenti e scarti lignei,
fili di ferro / Boards, fragments and
wooden offcuts, wire, 52 × 178 × 3 cm
Collezione privata / Private collection

8. *La credenza della muta / Sideboard of the Mute Woman*, 1972
Legno / Wood, 99 × 96 × 14 cm
Milano, Collezione Giorgio
e Clara Lucini / Milan, Giorgio
and Clara Lucini Collection

9. *Vicinia*, primi anni settanta / early 1970s
Legno e chiodi / Wood and nails,
130 × 110 × 12 cm

10. *Rito nuziale 1 / Wedding Rite 1*, 1973
Legno / Wood, 40 × 25 × 6 cm
Olanda, Collezione Pim e Patrizia
De Vroom / Holland, Pim and Patrizia
De Vroom Collection

11. *Valle dei magli / Valley of the Trip
Hammers*, 1975
Legno e chiodi / Wood and nails,
95 × 38 × 14 cm
Berzo (Valle Camonica), Collezione
Lucio Bellicini / Berzo (Val Camonica),
Lucio Bellicini Collection

12. *Clan dei mugnai / Clan
of the Millers*, 1975
Legno / Wood, 185 × 39 × 9 cm

13. *Vicinia. La tavola degli antenati n. 1 / Vicinia.*
The Table of the Ancestors no. 1, 1976
Legno / Wood, 108 × 160 × 6 cm

14. *L'abitacolo dell'eremita* / *The Hermit's Cell*, 1976
Legno e fili di ferro / Wood and wire,
47 × 35 × 20 cm

15. *Mappa (Pagina dell'albero)* / *Map (Tree Page)*, 1979
Legno / Wood, 158 × 50 × 3 cm

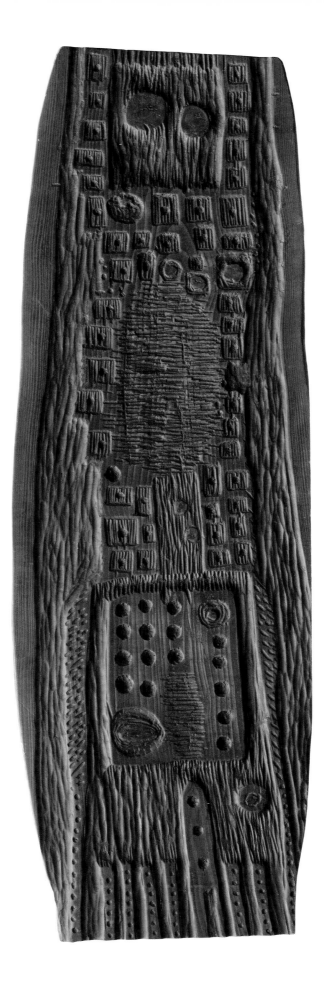

16. *Memoria del ferro / Memory of Iron*, 1979
Ferro / Iron, 49 × 33 × 3 cm

17. *Memoria del ferro / Memory of Iron*, 1980
Ferro / Iron, 30 × 35 × 5 cm

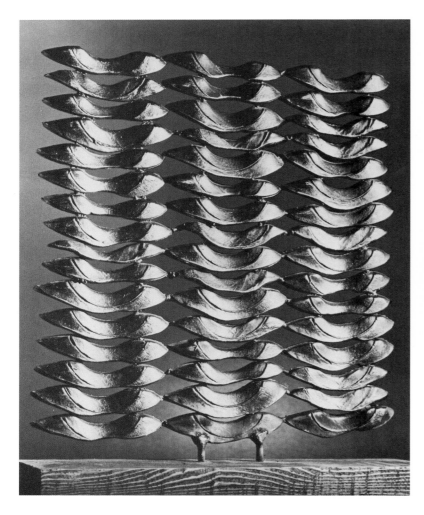

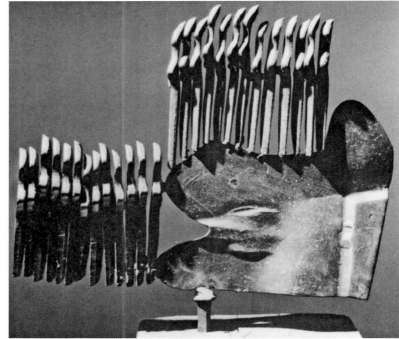

18. *Mappa dei campi arati / Map of Plowed Fields*, 1979-1980
Legno / *Wood*, 70 × 190 × 4 cm

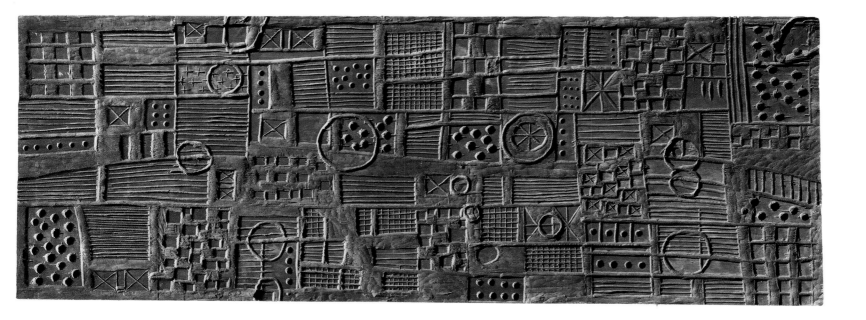

19. *Finestra-croce / Window-Cross*,
1979-1980
Legno e chiodi / Wood and nails,
115 × 65 × 12 cm

20. *Porta del silenzio / Door of Silence*, 1981
Legno / Wood, 173 × 51 × 8 cm

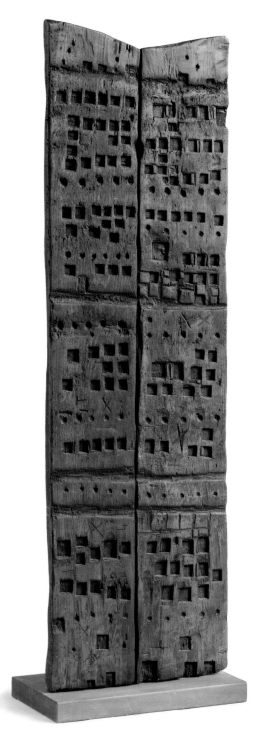

21. *Mappa numerica / Numerical Map*, 1982
Legno con tracce di colore / Wood with
traces of color, 194 × 72 × 25 cm
Città del Vaticano, Collezione Musei Vaticani
Vatican City, Vatican Museums Collection

22. *Libro chiuso / Closed Book*, 1981
Legno / Wood, 75 × 48 × 10 cm

23. *Madia / Kneading Trough*, 1981
Legno e fili di ferro / Wood and wire,
95 × 55 × 18 cm

24. *Bosco*, primi anni ottanta
Woodland, early 1980s
Installazione, legno e lamine
di ferro / Installation, wood
and sheet iron

25. *Libri chiusi*, primi anni ottanta
Closed Books, early 1980s
Installazione, carta, legno,
rete metallica / Installation, paper,
wood, wire mesh

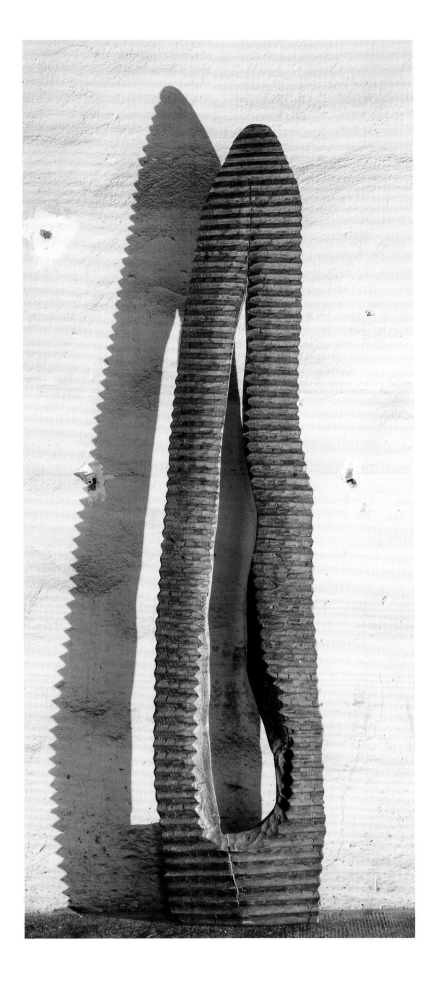

26. *Libro-Albero / Book-Tree*, 1982
Legno / Wood, 200 × 40 × 2 cm

27. *Albero / Tree*, 1986
Legno / Wood, 188 × 60 × 30 cm

28. *Lavori in corso / Works in Progress*, 1987
Installazione, legno e ferro / Installation,
wood and iron
Veduta dell'allestimento nell'antico
convento di Santa Maria della Visitazione,
Darfo / View of the installation
at the old convent of Santa Maria
della Visitazione, Darfo

29. *Tondo per Wiligelmo / Tondo
for Wiligelmo*, 1987
Legno e lame di ferro / Wood and iron
blades, 250 × 200 × 40 cm
In mostra alle Cantine del Barone Pizzini,
2011 / Exhibited at Barone Pizzini's Winery,
2011

30. *Cascata (Omaggio per Antonio Sant'Elia) / Waterfall (Homage to Antonio Sant'Elia)*, 1988
Ferro e ghiaia / Iron and gravel
Collezione privata / Private collection

31. *Bosco (Wald) / Woodland (Wald)*, 1989
Installazione, legno, terra di fucina
e coppelle in ferro / Installation, wood,
earth from the forge and iron smelting pans
Museo Diocesano di Milano, 2005 / Diocesan
Museum in Milan, 2005

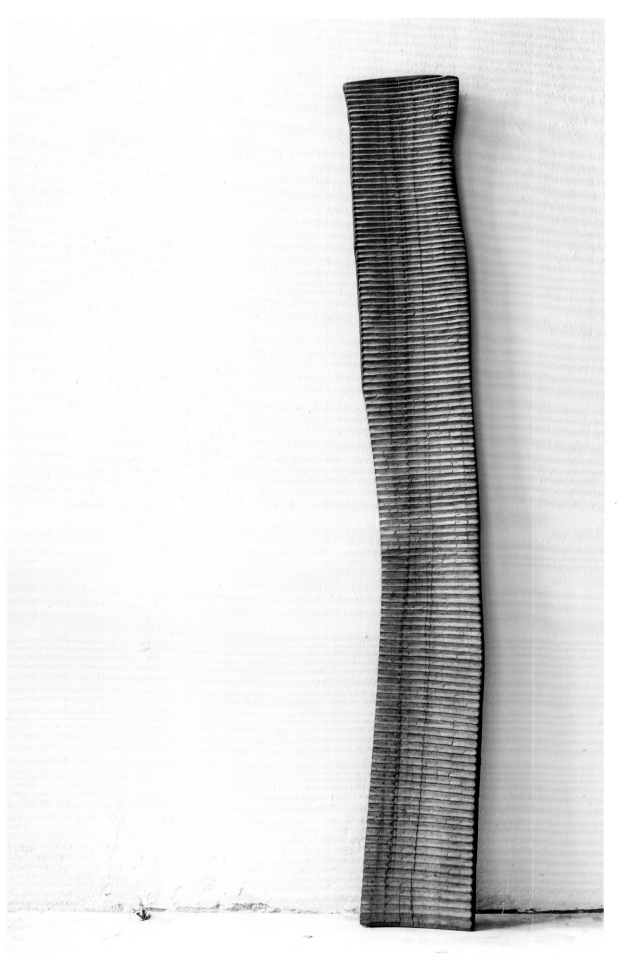

32. *Libro chiuso*, anni ottanta
Closed Book, 1980s
Legno / Wood, 210 × 25 × 2 cm

33. *Tondi*, anni ottanta / 1980s
Legno / Wood, Ø 160 cm
OK Harris Gallery, New York, 2004

34. *Barca*, anni ottanta / *Boat*, 1980s
Scarti di ferro / Iron scraps,
152 × 165 × 41 cm

35. *Pioggia*, anni ottanta / *Rain*, 1980s
Installazione, scarti di ferro / Installation,
iron scraps
Mostra al Castello Scaligero
di Sirmione, 2013 / Exhibition
at The Scaliger Castle, Sirmione, 2013

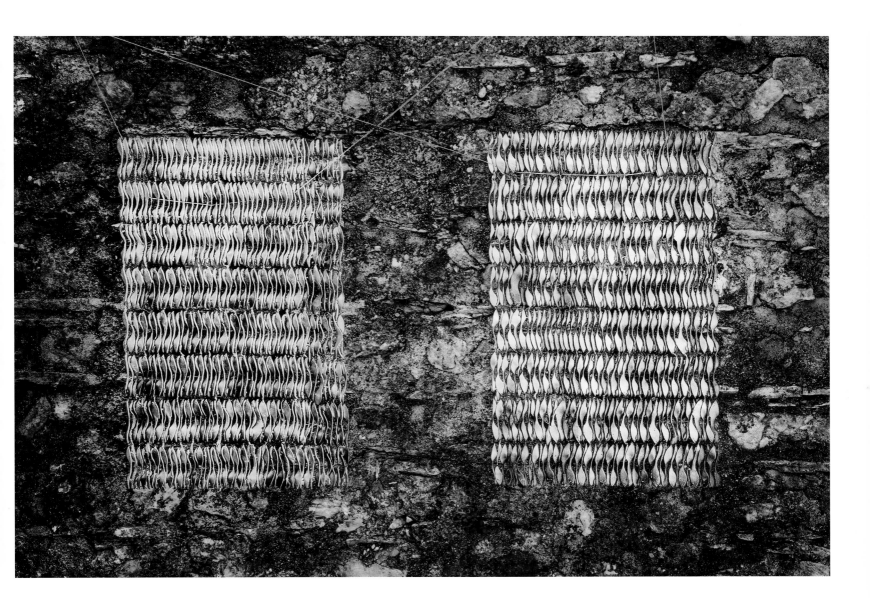

36. *Meridiana*, anni ottanta / *Sundial*, 1980s
Scarti e polvere di ferro / Scrap and iron
filings, Ø 250 cm

39. *Pala di misurazione / Staff Gauge*,
1993-1994
Legno e spolette di ferro / Board and iron
spools, 200 × 30 × 5 cm

40. *Cascata / Waterfall*, 1995
Installazione, scarti di ferro / Installation,
iron scraps
Mostra a Palazzo Martinengo, Brescia, 1995
Exhibition at Palazzo Martinengo, Brescia,
1995

41. *Il segno dell'acqua / The Sign
of Water*, 1997
Grande installazione, ferro,
sul lago di Iseo / Large installation,
iron, on Lake Iseo

42. *Altri alfabeti / Other Alphabets*, 1998
Installazione, sfridi di ferro, polvere da fucina
e rete metallica / Installation, iron scraps, dust
from the forge and wire netting

44. *Tondi*, fine anni ottanta-2000 / late
1980s–2000
Legno e rame / Wood and copper,
Ø 120 cm ciascuno / each
OK Harris Gallery, New York, 2000

45. *Memoria del ferro*, primi anni duemila
Memory of Iron, early 2000s
Installazione, rete metallica, pale di ferro
e scarti di ferro / Installation,
wire netting, iron blades and iron scraps

46. *Bosco*, primi anni duemila / *Woodland*, early 2000s
Installazione, scarti di ferro / Installation, iron scraps
Roma, Collezione Galleria Nazionale d'Arte Moderna / Rome, National Gallery of Modern Art Collection

47. *Albero ferito / Wounded Tree*, 2000-2002
Ferro e scarti di ferro / Iron and scrap iron, 185 × 75 × 225 cm

49-50. *Cancelli d'Europa / Gates of Europe*
Installazione, sfridi di ferro, carbone e
terra da fucina / Installation, iron offcuts,
coal and earth from the forge
Mostra al Politecnico di Milano, dipartimento
Progettazione dell'Architettura, facoltà di
Architettura Civile, Bovisa, 2006 / Exhibition
at the Milan Polytechnic, Architectural Design
Department, Faculty of Civil Architecture,
Bovisa, 2006

51. *Installazione Lucefin / Lucefin Installation*, 2006
Installazione, laminati, barre, profili, rotoli e laminatura d'acciaio / Installation, laminates, bars, profiles, coils and steel laminate

52. *Pagine chiodate / Nailed Pages*, 2008
Installazione, carta trattata e colorata, chiodi
Installation, treated and colored paper, nails
Mostra all'OK Harris Gallery di New York,
2008 / Exhibition at the OK Harris Gallery
in New York, 2008

53. *Pagine chiodate / Nailed Pages*, 2008
Installazione, carta trattata e colorata, chiodi
Installation, treated and colored paper, nails
Mostra all'OK Harris Gallery di New York,
2008 / Exhibition at the OK Harris Gallery
in New York, 2008

54. *Pagine chiodate / Nailed Pages*, 2008
Carta trattata e colorata, chiodi / Treated
and colored paper, nails, 70 × 120 cm
Mostra all'OK Harris Gallery di New York,
2008 / Exhibition at the OK Harris Gallery
in New York, 2008

55. *Libri chiodati* e *Valigia* / *Nailed Books* and *Suitcase*, 2008
Libri chiodati, carta colorata, cartone e chiodi / *Nailed Books*, colored paper, cardboard and nails
Valigia, cartone colorato e corda, chiodi
Suitcase, colored cardboard and rope, nails

Mostra "La città e la sua impronta" al Castello di Brescia, 2008 / Exhibition "La città e la sua impronta" at Brescia Castle, 2008

56. *Libro fasciato* / *Wrapped Book*, 2010
Carta bianca trattata, garza e chiodi / Treated
white paper, gauze and nails, 49 × 30 × 25 cm
Città del Vaticano, Collezione
Contemporanea Musei Vaticani / Vatican City,
Vatican Museums Contemporary Collection

57. *Tre alberi (Albero ferito, Albero chiodato, Albero-croce) / Three Trees (Wounded Tree, Nailed Tree, Tree-Cross)*
Installazione, legno, chiodi, lamine e tracce di colore / Installation, wood, nails, plates and traces of color, h. 180 cm circa
ciascuno / each
Cimitero di San Martino, Erbanno, 2010
Cemetery of St. Martin, Erbanno, 2010

58. *Cancelli d'Europa. Tomba del guerriero / Gates of Europe. Tomb of the Warrior*, 2010
Installazione, sfridi di ferro e lamiera di ferro
Installation, iron scraps and iron sheet
Mostra al Castello di Breno, 2010 / Exhibition at the Castle of Breno, 2010

59. *Cancelli d'Europa / Gates of Europe*, 2010
Installazione, ferro / Installation, iron
Mostra al Castello di Breno, 2010 / Exhibition at the Castle of Breno, 2010

60. *Pagina chiodata* / *Nailed Page*, 2010
Carta trattata e colorata e chiodi / Treated
and colored paper and nails
Ultima cena (particolare) / *Last Supper* (detail),
1963-2011
Pane colorato, dodici cucchiai / Colored
bread, twelve spoons
Veduta dell'installazione nella chiesa
di San Gottardo di Erbanno, 2010 / View
of the installation in the church of San
Gottardo in Erbanno, 2010

61. *Ultima cena* (particolare) / *Last Supper*
(detail), 1963-2011
Materiali vari / Various materials

62. *Ultima cena* / *Last Supper*, 1963-2011
Olio, materiali vari / Oil, various materials
Veduta dell'installazione nella chiesa
di San Gottardo di Erbanno, 2010 / View
of the installation in the church of San
Gottardo in Erbanno, 2010

63. *Ultima cena* (particolare) / *Last Supper*
(detail), 1963-2011
Sfridi di ferro, polvere di ferro, pani, carbone
e rete di ferro / Iron scraps, iron filings,
breads, charcoal and mesh
Installazione nell'oratorio della Passione,
Sant'Ambrogio, Milano, 2010 / Installation
in the oratory of the Passion, Basilica of
Sant'Ambrogio, 2010

64. *Ultima cena* (particolare) / *Last Supper*
(detail), 1963-2011
Tazze di filiera, rete di ferro, granaglie / Cups
in rows, wire mesh, corns
Installazione nella chiesa di San Gottardo
di Erbanno, 2010 / Installation in the church
of San Gottardo in Erbanno, 2010

65. Franca Ghitti all'OK Harris Gallery
di New York nel 2008 con *Valigia*
(2007, carta trattata colorata su cartone,
olio, chiodi, corda, 185 × 75 × 225 cm)
Franca Ghitti at the OK Harris Gallery,
New York, in 2008 with *Suitcase* (2007,
treated paper colored on cardboard,
oil, nails, rope, 185 × 75 × 225 cm)

Apparati / Appendix

Franca Ghitti:
Biographical Note

Franca Ghitti (Erbanno 1932 – Brescia 2012) was born in Valle Camonica. She studied at the Accademia di Brera in Milan, the Académie de la Grande Chaumière in Paris, and did the engraving course directed by Oskar Kokoschka in Salzburg. She started painting in her adolescent years. In the early fifties she began to produce a series of paintings and pictorial cycles which combined tradition and invention, resulting in original and fascinating works, including the first *Tales of the Valley*.

In 1963 she collaborated with Manuel Anati in founding the Camunian Centre for Prehistoric Studies and began studying the maps scored on rocks in Valle Camonica. Working on wooden panels and using wire mesh and nails, she devised her own versions of the *Maps*.

In the sixties, she produced her first wooden sculptures (*Vicinie*, *Rogations*, *Litanies*), which had already begun to define an image of space that also had a dimension of time and history. She scavenged pieces of used timber, sawmill offcuts and nails to evoke the presence of a culture born from constant and repeated elements.

In 1966–67 she produced the *Tales of the Valley*, a series of frescoes for Breno Town Hall. From 1969 to 1971 she lived and worked in Kenya, where she produced the great stained-glass windows set in concrete cames for the Church of the Italians in Nairobi, commissioned by the Ministry of Foreign Affairs (Cultural, Scientific and Technical Cooperation). Her travels and contacts with many tribal cultures clarified the value of formal codes as sediments, "other alphabets" left by communities and social structures. This gave rise to her experiments with maps based on topology with the organized presence of local materials (during stays at Wamba and Loiyangalani, on Lake Turkana in 1969). Upon returning to Italy, she worked with wood and iron, revisiting marginalized languages associated with the old traditions of work in the woods and at the forges.

Between 1972 and 1976, she produced *The Creation* and *Apocalypse*, two cycles of windows for the church of Santa Maria del Popolo at Costa Volpino (Bergamo). In 1977, on behalf of the Italian Ministry of Cultural Heritage, she conducted research at the Museo delle Arti e Tradizioni Popolari in Rome.

Working in this field of historical and anthropological investigation, in 1978 she founded and edited the series "Arti e Tradizioni Popolari Camune" (publishing *La valle dei magli*, 1978, and *La farina e i giorni*, 1979) for Edizioni Scheiwiller in Milan.

In 1979 she produced *Ghitti-Gate*, a sculpture-gate for the Agricultural Museum of Brunnenburg Castle (Merano). She exhibited at important venues in Mantua, Turin, Milan, and Heidelberg, and had a major retrospective at the Museo di Palazzo Braschi in Rome in 1988.

In the early seventies, her sculptures, which were the starting point for the founding structures of rustic architectures (knotted cords, notches in bark, aligned and jointed wood and stones), created a direct dialogue, in large installations, with modular techniques and contemporary architecture. This could be seen in relation to a wide range of cultures, from installations with wooden Pipmuacan tiles in Labrador in 1980, to the "enmeshed" stones of Pantelleria in 1983, to the bricks, roof tiles and bent tiles erected as a functionalist construction on the outskirts of Guatemala City in 1996.

Her various public commissions included the idea of sculpture as a creator of places for reflection and collective identification, expressed in a large installation related to urban space for the piazza di Nadro in Valle Camonica, and in large iron installations for various places, in Italy and abroad, for the Banca Credito Italiano.

In the late eighties and early nineties, Ghitti organized the exhibition *Woodland* in Milan, Regensburg, Munich and at the University of Pavia (where *Wald* and *Meridian* were

arranged like large maps). She created "The city and its imprint" at New York University in 1994, "Iron Memory" in Brescia and Vienna and from 1993 onwards, she presented "Homage to Brancusi" in Vienna, Oradea, Cluj, Debretin, Budapest, Munich, and New York, with original installations at each venue. In 1995, her anthological exhibition was hosted at Palazzo Martinengo and the former church of San Desiderio in Brescia.

In 1997 she presented significant public projects, such as *The Sign of Water*, a large cascading iron structure in Lake Iseo (Brescia), *The Archive of Materials*, an environmental intervention in concrete, glass, stone, iron and wood in the new residential quarter of San Polo in Brescia; *Cubic Map* for the headquarters of builders of Brescia. In this way she renewed her research on *Maps* by using scrap iron.

In 1998 a conference was held at the Institute of Italian Culture in New York on the theme of lost alphabets: a transversal reading of her sculptures. In the same year, she completed the windows for a new church in Bergamo, and as visiting professor at the Akademie der bildenden Künste in Vienna she created five installations entitled *Other Alphabets*, using various materials (earth, lime, wire mesh, cords) to rethink some nodes of her environmental sculptures, true *Maps*. She continued her dialogue with architects and designers, who saw her works as embodying encounter and dialogue for a living reflection on space as a "place of belonging."

In 2000 she exhibited *Other Alphabets* at the OK Harris Gallery in New York; the *Gates of Europe* in September in Munich (Pasinger Fabrik), and in November in Bilbao (Bilbao Bizkaia Kutxa Foundation).

In 2001 she made a large iron sculpture for the San Giorgio fortress at Orzinuovi (Brescia), where she held the exhibition on "Gates of Europe" with seven large installations in iron. In 2002, the exhibition "Gates of Europe" was presented at the Young Arts Gallery in

Franca Ghitti parla del suo lavoro con alcune donne africane, Nairobi, Kenya, 1969-1971
Franca Ghitti talking about her work with some African women, Niarobi, Kenya, 1969–71

Franca Ghitti: nota biografica

Franca Ghitti (Erbanno 1932-Brescia 2012) nasce in Valle Camonica. Studia all'Accademia di Brera a Milano, frequenta a Parigi l'Académie de la Grande Chaumière, a Salisburgo il corso di incisione diretto da Oskar Kokoschka. Inizia a dipingere nell'adolescenza. A partire dai primi anni cinquanta dà il via a una serie di dipinti e cicli pittorici dove senso della tradizione e invenzione si combinano producendo opere originali e di grande fascino, tra queste i primi *Racconti della Valle*.

Nel 1963 collabora con Manuel Anati alla fondazione del Centro Camuno di Studi Preistorici e si avvicina allo studio delle mappe incise della Valle Camonica. Reinventa su tavolette di legno, con reti metalliche e chiodi, le sue prime *Mappe*.

Realizza negli anni sessanta le prime sculture in legno (*Vicinie, Rogazioni, Litanie*) proponendosi di definire fin da allora un'immagine dello spazio che abbia anche una dimensione del tempo e della storia. Recupera legni usurati, avanzi di segheria, chiodi, per evocare la presenza di una cultura intessuta di elementi costanti e ripetuti.

Nel 1966-1967 realizza i *Racconti della Valle*, una serie di affreschi per il Palazzo del Comune di Breno.

Dal 1969 al 1971 vive e lavora in Kenya, dove realizza, per incarico del ministero degli Esteri (Cooperazione Culturale Scientifica e Tecnica), le grandi vetrate legate in cemento della chiesa degli Italiani a Nairobi. I viaggi e i contatti con molte culture tribali le chiariscono il valore dei codici formali come sedimenti, "altri alfabeti" lasciati dalle comunità e dalle strutture sociali. Da qui anche l'esperimento di cartografie basate sulla topologia con la presenza organizzata di materiali locali (soggiorno a Wamba e Loiyangalani, sul lago Turkana nel 1969). Rientrata in Italia, lavora il legno e il ferro, rivisitando linguaggi ormai emarginati, legati alle vecchie tradizioni di lavoro nei boschi e nelle fucine. Fra il 1972 e il 1976 realizza *La Creazione* e l'*Apocalisse*, due cicli di vetrate

per la chiesa del Popolo di Costa Volpino (Bergamo). Nel 1977 svolge, su incarico del ministero dei Beni Culturali, attività di ricerca in collaborazione con il Museo delle Arti e Tradizioni Popolari di Roma.

In quest'ambito di indagine storico-antropologica, nel 1978 avvia e dirige la collana "Arti e Tradizioni Popolari Camune" (pubblica: *La valle dei magli*, 1978, e *La farina e i giorni*, 1979) per le Edizioni Scheiwiller di Milano.

Nel 1979 realizza *Ghitti-Gate*, scultura-cancello per il Museo Agricolo del Castello di Brunnenburg (Merano).

Sue mostre sono presentate in importanti sedi a Mantova, Torino, Milano, Heidelberg, fino alla grande antologica al Museo di Palazzo Braschi a Roma nel 1988.

Già dagli anni settanta la scultura di Franca Ghitti, che ha preso le mosse dalle strutture fondanti le architetture rustiche (corde annodate, tacche sulle cortecce, allineamenti e incastri di legni e pietre), dialoga direttamente, in grandi installazioni, con le tecniche modulari e le architetture contemporanee. Lo si può vedere in rapporto a più culture, dall'installazione con le tegole lignee di Pipmuacan in Labrador nel 1980, alle pietre di Pantelleria "irretite" nel 1983, ai mattoni, tegole e coppi in terracotta eretti come una costruzione funzionalista alla periferia di Guatemala City nel 1996.

Tra i vari interventi pubblici, l'idea di una scultura creatrice di luoghi di riflessione e identificazione collettiva si esprime in una grande installazione in rapporto con lo spazio urbano per la piazza di Nadro in Valle Camonica e in grandi installazioni in ferro per varie sedi, in Italia e all'estero, della Banca Credito Italiano.

Tra la fine degli anni ottanta e primi novanta, Franca Ghitti allestisce mostre sul *Bosco* a Milano, Regensburg, Monaco di Baviera e all'Università di Pavia (dove il *Wald* e la *Meridiana* sono disposte come grandi mappe); realizza "La città e la sua impronta" nel 1994 alla New York University, la "Memoria del

ferro" a Brescia e a Vienna; a partire dal 1993 l'"Omaggio a Brancusi" a Vienna, Oradea, Cluj, Debretin, Budapest, Monaco di Baviera, New York, con allestimenti inediti in ogni sede. Nel 1995 una sua antologica viene ospitata nelle sale di Palazzo Martinengo e nell'ex chiesa di San Desiderio a Brescia. Nel 1997 realizza significativi interventi pubblici, come *Il segno dell'acqua*, una grande struttura a cascata in ferro nel lago di Iseo (Brescia); *L'Archivio dei materiali*, un intervento ambientale con vetrocemento, pietra, ferro e legno nel nuovo quartiere di edilizia residenziale di San Polo a Brescia; il *Mappale cubico* per la sede dei costruttori di Brescia. Rinnova così la ricerca sulle *Mappe*, recuperando scarti di ferro.

Nel 1998 tiene una conferenza all'Istituto Italiano di Cultura a New York sul tema *Lost Alphabets*: una rilettura trasversale del proprio percorso scultoreo. Nello stesso anno termina le vetrate per una nuova chiesa a Bergamo e come *visiting professor* all'Akademie der bildenden Künste di Vienna realizza cinque installazioni dal titolo *Altri alfabeti*, affidando a materiali diversi (terra, calce, rete di ferro, corde) un ripensamento di alcuni snodi delle sue sculture ambientate, vere e proprie *Mappe*. Continua il dialogo con architetti e progettisti che trovano nei suoi lavori momenti di incontro e di confronto per una riflessione viva sullo spazio come "luogo di appartenenza".

Nel 2000 espone *Other Alphabets* alla OK Harris Gallery di New York; i *Cancelli d'Europa* a settembre a Monaco di Baviera (Pasinger Fabrik) e a novembre a Bilbao (fondazione Bilbao Bizkaia Kutxa).

Nel 2001 realizza una grande scultura in ferro per la Rocca di San Giorgio a Orzinuovi (Brescia) dove allestisce la mostra "Cancelli d'Europa" con sette grandi installazioni in ferro.

Nel 2002, la mostra "Cancelli d'Europa" è presentata alla Young Arts Gallery di Vienna in collaborazione con l'associazione degli architetti viennesi. Nel parco Torri Gemelle

Presentazione del volume *La valle dei magli*, a cura di Franca Ghitti, Scheiwiller, Milano 1978. Al centro Franca Ghitti, alla sua destra Giuseppe Appella, Vittoria Marinetti, Vanni Scheiwiller, a sinistra Francesca Marinetti, alle spalle Giorgio Lucini e Ugo Martegani / Presentation of the book *La valle dei magli*, edited by Franca Ghitti (Milan: Scheiwiller, 1978). Franca Ghitti in the center, Giuseppe Appella, Vittoria Marinetti, and Vanni Scheiwiller at her right, Francesca Marinetti at her left, Giorgio Lucini and Ugo Martegani behind her

Con la madre, Maria Dolores Giudici
e Maria Luisa Ardizzone, fine anni settanta
With her mother, Maria Dolores Giudici
and Maria Luisa Ardizzone, late 1970s

Vienna in collaboration with the Association of Viennese architects. In the Torri Gemelle park in Via Spalto San Marco in Brescia, she presented a large iron *Meridian*. In 2003, in response to an invitation from Pitti Immagine Uomo, at the Fortezza da Basso in Florence, she created *Tree-Sail* and *Spiral*, a large installation in iron. Again in 2003 the anthological exhibition "Other Alphabets" presented sculptures and installations at Palazzo Besta in Teglio (Sondrio). In November–December of the same year, she presented "Maps-Mapping," sculptures and installations, at the Cooper Union for the Advancement of Science and Art in New York. Here the theme of maps, fundamental in her development, was rethought in a broader perspective and through a new search for materials. In the same period, she created an installation of *Gates of Europe* for the new Confartigianato premises in Brescia. In November 2003, at the New York University/Casa Italiana Zerilli-Marimò, John Freccero and Margaret Morton presented her most recent book: *Maps / Mapping* (Charta, Milan). In 2005, an anthological exhibition was presented at the Diocesan Museum in Milan. In 2005 she devoted herself (between April and October) to an original reworking of the theme of "Gates of Europe" with new installations presented at three universities (Brescia, Catholic University; Milan, Polytechnic; Houston, College of Architecture University of Houston), anticipated by readings addressed to the students and teachers at the universities themselves.
In 2007 she published the book *Ghitti – Iron Memory* (Edizioni Mazzotta, Milan), with presentations in various locations and created new installations (Palazzo della Loggia, Brescia; the Triennale, Milan; Accademia Tadini, Lovere). From July to September 2007 the exhibition "Percorsi" (Accademia Tadini, Lovere) was held.
In 2008 the exhibition "Pages – Nails" was held at the OK Harris Gallery in New York, presenting *Nailed Pages*, original graphic works and sculptures made of paper, cardboard and nails. From June to October 2008 she participated in "Gates of Europe" at the International Biennial of Sculpture at Agliè. In September, after an invitation from BresciaMusei, she inaugurated the exhibition "The City and its Footprint" at the Castle of Brescia. In November 2008 she won the competition to construct a museum in the city of Chiari. In May and June 2009 she presented the Project for the Navigli (canals): *Sculpture in the City–Water on the Naviglio*, Museo della Permanente, Milan. This was followed in October 2009 by a new exhibition "La ville et son empreinte. Sculptures et Installations" in the galleries of the Ecole Nationale Supérieure d'Architecture de Paris La Villette. Between March and April 2010 she completed *Doors of Silence* and the furnishings for the chapel of the New Hospital in Como.
In the summer of 2010 she was featured in the first edition of Aperto 2010. [fare] arte in valle_art on the border in Valle Camonica, with different installations in the three locations of the event (Bienno, Breno and Erbanno). In September and October 2010 she exhibited *Pages* and *Nailed Books* at the Fondazione Morcelli Repossi in Chiari. Between March and April 2011 she exhibited *Fragments of the Tree. Sculptures and Installations* in the foyer of the Bocconi University in Milan, where she also presented her most recent monograph, *Ghitti. La grammatica dei chiodi_The Grammar of Nails*, containing a collection of works from 1963 to 2010. In the ancient oratory of the Passion in the basilica of Sant'Ambrogio in Milan, in April 2011, she inaugurated Maundy Thursday with an installation of the *Last Supper*, previously exhibited at the old church of Erbanno in Valle Camonica. The same modified version of the same installation was presented at the Diocesan Museum in Brescia (May–July 2011). In July she made a number of installations for the Manege Museum of Contemporary Art in St. Petersburg (July–September 2011). From September to November 2011 her *Tondi* were exhibited in Franciacorta in the new cellars of Barone Pizzini. In February 2012 five iron installations were presented in Dusseldorf, Germany.
In her last years, Ghitti's challenge had become to face the time she lived in, technology and serial languages, giving them back a rhythm of existential elements in layered sequences of molds and scraps of wood and iron. Her installations transform a geometric space in a historic space, so that the "home of sculpture" is offered as storage and archive of real ideological, social and work structures.
Ghitti died on April 8, Easter Sunday, 2012 after a sudden worsening of her condition which she had been struggling with for around four years. She was laid to rest in the family chapel of the small cemetery in Erbanno, Valle Camonica.
She left behind an immense and partly unknown oeuvre. A series of initiatives began after her death for the conservation, cataloguing, promotion and study of her artistic legacy. To this end, in 2013 the Archivio Franca Ghitti foundation was established and a start was made on the general catalog of her work.
Notable among the initiatives were: "A Celebration of Franca Ghitti's Life and Work," a conference held at New York University, New York City, on November 2012, "Homage to Franca Ghitti" at the Diocesan Museum of Brescia in March 2013, the exhibition in Milan "Ghitti. An Idea of the Book," curated by Elena Pontiggia, at the Sormani Library, monumental staircase, Milan, April 10 – May 10, 2013; "Ghitti. Waterways, Thirty Sculptures and Installations." Sirmione Castle (Brescia), June 30 – September 26, 2013, to an invitation from the Superintendency for the Architectural and Landscape Assets of Brescia, Cremona, Mantua; "Ghitti. Last Supper 1963–2011. Installation" at Galleria d'Arte Sacra dei Contemporanei, Villa Clerici, Milan, March 20 – July 19, 2014. Again in 2014, between

Studio per una scultura in ferro, laboratorio di Cellatica / Preliminary study of an iron sculpture, workshop in Cellatica

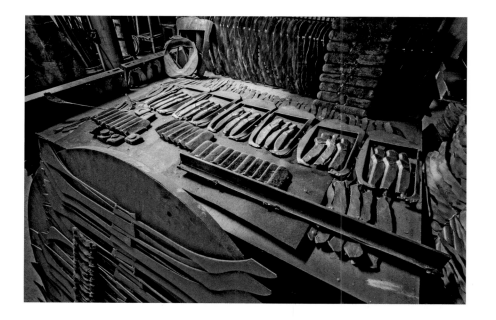

Franca Ghitti fotografata dal poeta
Sandro Boccardi, primi anni ottanta
Franca Ghitti photographed by poet
Sandro Boccardi, early 1980s

di via Spalto San Marco di Brescia presenta una grande *Meridiana* in ferro. Nel 2003 su invito di Pitti Immagine Uomo, alla Fortezza da Basso, a Firenze, realizza l'*Albero-vela* e la *Spirale*, una grande installazione in ferro. Sempre del 2003 l'antologica "Altri Alfabeti: sculture e installazioni" nel Palazzo Besta di Teglio (Sondrio). Nel novembre-dicembre dello stesso anno presenta "Maps-Mapping", sculture e installazioni alla Cooper Union for the Advancement of Science and Art di New York. Qui il tema delle mappe, fondamentale nel suo percorso, viene ripensato in una prospettiva più vasta e attraverso una nuova ricerca di materiali. Nello stesso periodo realizza un'installazione *Cancelli d'Europa* per la nuova sede della Confartigianato di Brescia.

Nel novembre del 2003, alla New York University/Casa Italiana Zerilli-Marimò, John Freccero e Margaret Morton presentano il suo ultimo libro: *Maps / Mapping* (Charta, Milano). Nel 2005 una sua antologica viene presentata al Museo Diocesano di Milano. Nel 2005 si dedica (tra aprile e ottobre) a una originale rielaborazione del tema "Cancelli d'Europa", attraverso nuove installazioni presentate in tre sedi universitarie (Brescia, Università Cattolica; Milano, Politecnico; Houston, College of Architecture University of Houston), anticipate da letture rivolte a studenti e docenti delle stesse università. Nel 2007 viene pubblicato il libro *Ghitti – Iron Memory* (Edizioni Mazzotta, Milano), con presentazioni in varie sedi e realizzazione di nuove installazioni (Palazzo della Loggia, Brescia; Palazzo della Triennale, Milano; Accademia Tadini, Lovere). Segue nel 2007, da luglio a settembre, la mostra "Percorsi" (Accademia Tadini, Lovere).

Nel 2008 la mostra "Pages – Nails" alla OK Harris Gallery di New York propone le *Pagine chiodate*, opere inedite di grafica e scultura realizzate con carta, cartone e chiodi. Dal giugno all'ottobre 2008 partecipa con *Cancelli d'Europa* alla Biennale Internazionale di Scultura ad Agliè. A settembre, su invito

di BresciaMusei, inaugura la mostra "La città e la sua impronta" al Castello di Brescia. Nel novembre 2008 vince il concorso di idee per la realizzazione di un percorso museale nella città di Chiari. In maggio e giugno 2009 presenta il Progetto per zona Navigli: *Scultura nella città-Acqua sul Naviglio*, Museo della Permanente, Milano. Segue, durante il mese di ottobre 2009, la nuova esposizione "La ville et son empreinte. Sculptures et installations" nelle sale dell'École Nationale Supérieure d'Architecture de Paris La Villette. Tra marzo e aprile 2010 termina le *Porte del silenzio* e l'arredo per la cappella del Nuovo Ospedale di Como.

Nell'estate 2010 è protagonista della prima edizione di Aperto 2010. [fare]arte in valle_art on the border in Valle Camonica, con installazioni diverse per le tre sedi della manifestazione (Bienno, Erbanno e Breno). Nei mesi di settembre e ottobre 2010 espone *Pagine e libri chiodati* presso la Fondazione Morcelli Repossi di Chiari.

Tra marzo e aprile del 2011 espone *Frammenti dell'Albero. Sculture e installazioni* presso la sala foyer dell'Università Bocconi di Milano, dove presenta anche il suo ultimo lavoro monografico *Ghitti. La grammatica dei chiodi_The Grammar of Nails*, che contiene una raccolta di opere dal 1963 al 2010. Presso l'antico oratorio della Passione della basilica di Sant'Ambrogio di Milano nel mese di aprile 2011 presenta, inaugurandola il Giovedì Santo, l'installazione *Ultima cena*, già esposta nell'antica chiesa di Erbanno, Valle Camonica. La stessa installazione, in versione modificata rispetto alla precedente, viene presentata al Museo Diocesano di Brescia (maggio-luglio 2011). A luglio è a San Pietroburgo dove realizza alcune installazioni per il Museo d'Arte Contemporanea Manege (luglio-settembre 2011). Da settembre a novembre del 2011 i suoi *Tondi* vengono esposti in Franciacorta nelle nuove cantine del Barone Pizzini. In febbraio del 2012 cinque installazioni in ferro vengono presentate in Germania, a Düsseldorf.

Negli ultimi anni, la sfida di Franca Ghitti è diventata quella di affrontare il suo tempo, le tecnologie e i linguaggi seriali, restituendo a essi un ritmo di elementi esistenziali, in sequenze stratificate di stampi e scarti di lavorazione del legno e del ferro. Le sue installazioni trasformano uno spazio geometrico in uno spazio storico, così che il "luogo della scultura" si offre come deposito e archivio di vere e proprie strutture ideologiche, sociali e di lavoro.

Franca Ghitti muore l'8 aprile, giorno di Pasqua, del 2012 per un improvviso aggravarsi del male con cui lottava da circa quattro anni. Riposa nella cappella di famiglia del piccolo cimitero di Erbanno in Valle Camonica. Lascia un'opera ingente e in parte sconosciuta. Una serie di iniziative si avviano dopo la sua morte per la conservazione, catalogazione, valorizzazione e studio del suo patrimonio artistico. A questo scopo nel 2013 nasce la Fondazione "Archivio Franca Ghitti" e si avvia il catalogo generale dell'opera. Tra le iniziative si ricordano: il convegno organizzato a New York "A Celebration of Franca Ghitti Life and Work", New York University, NY, novembre 2012; l'"Omaggio a Franca Ghitti" del Museo Diocesano di Brescia, marzo 2013; la mostra milanese "Franca Ghitti. Un'idea di libro", a cura di Elena Pontiggia, biblioteca Sormani, scalone monumentale, Milano, 10 aprile-10 maggio 2013; "Franca Ghitti. Le vie dell'acqua, trenta sculture e installazioni", Castello di Sirmione (Brescia), 30 giugno-26 settembre 2013 su invito della Soprintendenza per i beni architettonici e paesaggistici di Brescia, Cremona, Mantova; "Franca Ghitti. Ultima cena 1963-2011. Un'installazione", Galleria d'Arte Sacra dei Contemporanei, Villa Clerici, Milano, 20 marzo-19 luglio 2014. Sempre nel 2014, tra luglio e novembre, su invito del Musil di Brescia, una sua antologica a cura di Fausto Lorenzi e Marco Meneguzzo, "Franca Ghitti. Ferro, terra, fuoco, legno", viene ospitata al Museo dell'energia idroelettrica della Valle Camonica.

Lo scrittorio di Franca nello studio di Cellatica fotografato subito dopo la morte da Fabio Cattabiani / Franca's desk in her study in Cellatica photographed immediately after her death by Fabio Cattabiani

July and November, to the invitation from the Musil in Brescia, an anthological exhibition of her work, curated by Fausto Lorenzi and Marco Meneguzzo, "Ghitti. Iron, Earth, Fire, Wood," was hosted at the Museo dell'Energia Idroelettrica in Valle Camonica.

In 2015, among the events for Expo, Franca Ghitti's *Last Supper* was exhibited at the Catholic University in Milan (June–July). The exhibition was curated by Cecilia De Carli. On this occasion, two more round tables were devoted to the artist thanks to the initiative by Cecilia De Carli. The papers, edited by Cecilia De Carli, will be published by the Università Cattolica di Milano.

In 2013 the architect Giovanni Cadeo of the Studio Cadeo in Brescia began to work on the project of an archive-museum. In 2014 the Vatican Museums acquired two works by Ghitti. The large wooden sculpture, *Numerical Map*, begun in the seventies and completed in 1982, and the *Banded Book* in paper, gauze and nails (2010) were added to the prestigious collection. In the same year the National Gallery of Modern Art in Rome acquired *Woodland*, a large installation-sculpture consisting of three iron *Trees*, immediately registered among the holdings of national artistic heritage.

In 2012 the film director Davide Bassanesi, who had already made the two documentaries *Franca Ghitti. La memoria del ferro* and *Franca Ghitti. L'ultima cena*, began to work on a documentary film about the artist's life and work, which he plans to complete by late 2016.

In 2016 a volume of writings by Massimo Cacciari, *Europe and Empire. On the Political Forms of Globalization*, Fordham University Press, New York, devoted its cover to Ghitti. It depicted the nailed chair entitled *Throne* (2011), in a photograph by Fabio Cattabiani. The volume was edited by Alessandro Carrera.

Anni duemila, foto di Fabio Cattabiani
Taken in the year 2000 by Fabio Cattabiani

Franca Ghitti con / with John Freccero, OK Harris Gallery, New York, 2008

Nel 2015, nell'ambito delle manifestazioni dell'Expo, l'*Ultima cena 1963-2011* di Franca Ghitti viene esposta all'Università Cattolica di Milano (giugno-luglio). La cura della mostra è di Cecilia De Carli. Nell'occasione vengono dedicate all'artista due tavole rotonde sempre per iniziativa di Cecilia De Carli. I testi degli interventi, sempre a cura di Cecilia De Carli, verranno pubblicati dall'Università Cattolica di Milano.

A partire dal 2013 l'architetto Giovanni Cadeo dello Studio Cadeo di Brescia lavora al progetto dell'archivio-museo dedicato a Franca Ghitti. Nel 2014 i Musei Vaticani acquisiscono due opere di Franca Ghitti.

Entrano nella prestigiosa collezione una scultura in legno di grandi dimensioni, *Mappa numerica*, degli anni settanta, completata nel 1982, e il *Libro fasciato*, in carta, garza e chiodi del 2010. Nello stesso anno la Galleria Nazionale d'Arte Moderna di Roma acquisisce *Bosco*, una grande installazione-scultura formata da tre *Alberi* in ferro, subito riconosciuta tra i beni del patrimonio artistico nazionale.

Nel 2012 il regista Davide Bassanesi, già autore dei documentari *Franca Ghitti. La memoria del ferro* e *Franca Ghitti. L'ultima cena*, comincia a lavorare a un film-documentario sulla vita e sull'opera dell'artista, che progetta di completare entro la fine del 2016.

Nel 2016 un volume di scritti di Massimo Cacciari, *Europe and Empire. On the Political Forms of Globalization*, Fordham University Press, New York, dedica la copertina a Franca Ghitti. Viene riprodotta la sedia chiodata, intitolata *Throne* (2011), fotografata da Fabio Cattabiani. La cura del volume è di Alessandro Carrera.

Franca lavora alle *Pagine chiodate*, 2010, Cellatica / Franca working on *Nailed Pages*, 2010, Cellatica

Franca con Pier Matteo Ghitti, di fianco il *Tondo Bagnadore*, Cantine Barone Pizzini, 2011 / Franca with Pier Matteo Ghitti, beside *Tondo Bagnadore*, Barone Pizzini's Winery, 2011

Archivio-Museo di Franca Ghitti, una vista interna. Progetto dell'architetto Giovanni Cadeo, 2016 / Photo-project from the Museum-Archive of Franca Ghitti, a view from inside. Project of the architect Giovanni Cadeo, 2016

Nota bibliografica
Bibliographical Note

a cura di / edited by Irene Cafarelli

1954
G. Gaioni, *La giovane Franca Ghitti espone a Boario*, in "Giornale di Brescia", settembre / September.

1955
XIX Biennale Nazionale di Milano, catalogo della mostra / exhibition catalog (Milano, Palazzo della Società per le Belle Arti ed Esposizione Permanente, 12 novembre / November 1955 - 6 gennaio / January 1956), Enrico Gualdoni editore, Milano.

1956
Premio di pittura San Fedele 1956, catalogo della mostra / exhibition catalog (Milano, Centro Culturale San Fedele, 5-15 novembre / November).
G. Valzelli, *Tre tavolozze a Boario*, in "Giornale di Brescia", 7 agosto / August.

1958
E. Cassa Salvi, *Pittura bresciana d'oggi*, in "Il Giornale di Brescia", 3 giugno / June.
G. Castelvedere, *Le Mostre*, in "La Voce del popolo", Brescia.

1959
L. Goffi (a cura di / edited by), *I Premio Nazionale di Pittura Valle Camonica*, catalogo della mostra / exhibition catalog (15 agosto / August - 15 settembre / September), Tipografia Camuna, Breno.
R. Taccani (a cura di / edited by), *XXI Biennale Nazionale d'Arte Città di Milano*, catalogo della mostra / exhibition catalog (Milano, Palazzo della Permanente Società per le Belle Arti ed Esposizione, 21 novembre / November 1959 - 17 gennaio / January 1960), Alfieri & Lacroix, Milano.

1960
D.B., *Franca Ghitti*, in "Libera Stampa", Lugano, 1 settembre / September.
R. Taccani (a cura di / edited by), *63ª Mostra Annuale d'Arte*, catalogo della mostra / exhibition catalog (Milano, Palazzo della Permanente Società per le Belle Arti ed Esposizione, 3 dicembre / December 1960 - 19 gennaio / January 1961), Alfieri & Lacroix, Milano.

1961
G.F. Maiorana, *Momento artistico bresciano*, Editore Apollonio & C., Brescia.
Mostra Nazionale Biennale di pittura Giovanni Giolitti, catalogo della mostra / exhibition catalog (Dronero), La Meridiana, Mondovì.
G. Pugliesi, in *Il merito. Annuario dei premi e dei premiati in Italia*, Edizioni Costruire, Sarzana.

1962
G. Bicossa, *Franca Ghitti propone con serietà il problema dell'astrattismo dei giovani*, in "Il Popolo", Lugano, 16 febbraio / February.
G.C., *Franca Ghitti all'Elite*, in "Corriere del Ticino", Lugano, 12 febbraio / February.
F. I. D. A. P. A. del Comune di Venezia. Pittura, scultura e arti decorative, catalogo della mostra / exhibition catalog (Venezia, Bevilacqua La Masa).

Franca Ghitti all'Elite, in "Libera Stampa", Lugano, 10 febbraio / February.
Ghitti, catalogo della mostra / exhibition catalog (Lugano, Galleria Elite, 10 febbraio / February - 7 marzo / March), Lugano.
G. Schönenberger, *L'osservatore delle arti e delle scienze*, in "Radio Svizzera Italiana", Stazione di Montecceneri, registrazione 23 febbraio / recorded on 23 February.

1963
A. Rampinelli, *12 ritratti di donne*, Industrie Grafiche Bresciane, Brescia.
R. Taccani (a cura di / edited by), *XXIII Biennale Nazionale d'Arte*, catalogo della mostra / exhibition catalog (Milano, Palazzo della Permanente Società per le Belle Arti ed Esposizione, 18 novembre / November - 12 dicembre / December), Alfieri & Lacroix, Milano.
Unesco (a cura di / edited by), *Gran Prix Internationale Peinture et Sculpture-IV Gran Premio Internazionale di pittura Città di Montecarlo*, catalogo della mostra / exhibition catalog (Montecarlo, Monaco, Salone Bosio).

1965
B. Marini, *Franca Ghitti*, in "Biesse", Brescia, novembre / November.
M. Minini, *La pittrice Franca Ghitti*, in "Biesse", Brescia, aprile / April.
G. Valzelli, *Arte: Ghitti*, in "Il Cittadino", Brescia, 14 marzo / March.

1966
M. Alzetta, *Franca Ghitti alla Contarini*, in "La voce di San Marco", Venezia, marzo / March.
F. Calzavacca, *Venezia*, in "Notiziario d'Arte", Roma, maggio-giugno / May-June.
Contrade camune di Franca Ghitti, catalogo della mostra / exhibition catalog (Venezia, Galleria Contarini, 26 febbraio / February - 1 marzo / March), con un testo di / with a text by M. Alzetta.
Franca Ghitti, in "D'Ars", Milano, anno VII, n. 1-2, marzo-aprile / March-April, p. 199.
Franca Ghitti alla Contarini, in "Le Venezie e l'Italia", Venezia, anno V, n. 2, febbraio / February.
Gallerie: Franca Ghitti, in "il Resto del Carlino", Bologna, marzo / March.
A. Mazza, *28 studi di pittori bresciani*, Editore Squassina, Brescia.
A. Mazza, *Galleria di artisti bresciani: Franca Ghitti*, in "La voce del Popolo", Brescia, 3 settembre / September.
L. Poli, *Arte e choc-art*, in "La Porta", Roma, gennaio-febbraio / January-February.
U.R., *Franca Ghitti espone alla Contarini di Venezia*, in "L'Eco di Bergamo", 28 febbraio / February.
P. Rizzi, *Mostre d'arte*, in "Il Gazzettino", Venezia, 1 marzo / March.
U.Z., *Franca Ghitti*, in "Rossana", Milano, anno III, n. 6, giugno / June.

1967
A. Bettini, *Franca Ghitti con spatola e pennelli*, in "La Provincia", Cremona, 14 novembre / November.

C.E. Bugatti (a cura di / edited by), *Il Biennale delle Regioni*, catalogo della mostra / exhibition catalog (Ancona, Galleria Europa Arte, aprile-maggio / April-May), Edizioni Europa Arte, Ancona.
Franca Ghitti. Storie della valle: ciclo di affreschi eseguiti nel Palazzo degli uffici di Breno, con un testo di / with a text by A. Natali, Tipografia La Cittadina, Darfo.
El. M., *Racconti camuni di Franca Ghitti*, in "L'Italia", Milano, 7 settembre / September.
Pittori e pittura contemporanea, Edizioni Il Quadrato, Milano.
Quasi ultimato a Breno il Palazzo degli Uffici, in "Il Giornale di Brescia", 21 settembre / September.

1968
A. Bettini, *La bottega di Franca Ghitti*, in "La Provincia", Cremona, 7 maggio / May.
G. Buscaglia, *Franca Ghitti alla Ca' Vegia con "I racconti della Valle"*, in "Il Resegone", Lecco, 3 maggio / May.
F. Calzavacca, *Successo di Franca Ghitti con i suoi "Racconti della Valle"*, in "Biesse", Brescia, marzo / March.
F. Calzavacca, *Suggerimenti per un racconto dell'Umbria*, in "Il Messaggero", Roma, 5 marzo / March.
La cantastorie della Valcamonica, in "La Notte", Milano, 15 marzo / March.
Franca Ghitti, catalogo della mostra / exhibition catalog (Vicenza, Galleria L'Incontro, 26 ottobre / October - 6 novembre / November), con un testo di / with a text by S. Maugeri.
Franca Ghitti e i suoi Racconti della Valle, servizio di / report by V. Squarcialupi, in *Cronache italiane*, RAI, registrazione luglio / recorded in July.
C. Ge., *Franca Ghitti e il suo legame affettivo con la sua terra*, in "La Provincia", Lecco, 3 maggio / May.
Ghitti, catalogo della mostra / exhibition catalog (Lecco, Galleria Ca' Vegia, 20 aprile / April - 3 maggio / May), con un testo di / with a text by G. De Santis.
Ghitti. Racconti della Valle, catalogo della mostra / exhibition catalog (Roma, Galleria Piazza di Spagna, 19 febbraio / February - 4 marzo / March), con un testo di / with a text by C. Munari.
S.M., *La mitologia popolare in una serie di dipinti*, in "L'Avvenire d'Italia", Milano, 6 febbraio / February.
B. Marini, *Ghitti*, in "Il Giornale d'Italia", Roma, 24 aprile / April.
A. Natali, *Racconti della Valle, 1967-1968. Ciclo di affreschi nel Palazzo degli Uffici di Breno*, fotografie di / photograps by Lino Montini, Tipografia La Cittadina, Darfo.
Le opere di Franca Ghitti alla Ca' Vegia, in "Giornale di Lecco", 6 aprile / April.
La pittrice Ghitti espone a Roma, in "Il Giornale di Brescia", 23 febbraio / February.
M. Polverini, *Franca Ghitti*, in "Il Giornale di Lecco", 6 maggio / May.
U.R., *Franca Ghitti a L'Incontro di Vicenza*, in "L'Eco di Bergamo", 1 novembre / November.
I racconti della Valle, in "Votre Beauté", Milano, marzo / March.
I racconti della Valle della pittrice Franca Ghitti, in "L'Ordine", Lecco, 21 aprile / April.

Un giorno..., disegni di / drawings by F. Ghitti, con un testo di / with a text by P.I. Fiorini, Tipografia Franciscanum, Brescia.

1969
AA.VV., *Arte italiana per il mondo*, Edizioni Società Editoriale Nuova, Torino.
AA.VV., *Enciclopedia universale della pittura moderna*, Edizioni SEDA, Milano.
A. Bettini, *Una giovane pittrice per la cattedrale di Nairobi*, in "La Provincia", Cremona, 31 agosto / August.
Franca Ghitti, pieghevole della mostra / exhibition leaflet (Mantova, Galleria La Saletta, 12-25 aprile / April), con un testo di / with a text by R. Margonari, Tipografia La Cittadina, Darfo.
Franca Ghitti alla Fogolino, in "Il Gazzettino", Venezia, 28 febbraio / February.
M.G. Fringuellini, *Franca Ghitti*, in "il Resto del Carlino", Bologna, 24 aprile / April.
Ghitti alla Saletta, in "Gazzetta di Mantova", 17 aprile / April.
Ghitti, pieghevole della mostra / exhibition leaflet (Trento, Galleria d'arte M. Fogolino di Palazzo Sardagna, 15 febbraio / February - 1 marzo / March), con un testo di / with a text by S. Maugeri.
R. Margonari, *Franca Ghitti espone a Mantova*, in "Club delle Notizie", Brescia, aprile / April.
G. Pacher, *Franca Ghitti*, in "Alto Adige", Bolzano, 20 febbraio / February.
G. Raimondi (a cura di / edited by), *III Biennale di Bolzano*, catalogo della mostra / exhibition catalog (Bolzano, Palazzo della Fiera, settembre / September).
R. Sandri, *I racconti della Valle: un viaggio nell'infanzia*, in "Adige", Trento, 2 marzo / March.
G. Valzelli, *Va nel Kenya la ragazza che celebrò l'etica camuna*, in "Giornale di Brescia", 22 agosto / August.

1970
VIII premio Soragna di Bianco e Nero, catalogo della mostra / exhibition catalog (Soragna, Rocca dei Principi Meli Lupi, 30 maggio / May - 29 giugno / June).
C.M. Bugatti, *Artisti europei*, in "Nuova critica Europea", Edizione Bugatti, Ancona.
A. Natali, *Racconti della valle*, Tipografia La Cittadina, Darfo Boario Terme.
A.O. Nikelsen, *Alitalia Sponsors Artists at City Hall Exhibition*, in "The Sunday Post", Nairobi, 15 novembre / November.
A.O. Nikelsen, *Franca Ghitti*, in "The Sunday Post", Nairobi, 13 dicembre / December.
G. Poloni, *Arte bresciana*, Editore Sardini, Brescia.

1971
A.M. Comanducci, *Dizionario illustrato dei pittori, disegnatori, incisori italiani moderni e contemporanei*, Patuzzi, Milano.
La Ghitti in Africa, in "Il Messaggero", Roma, 2 gennaio / January.
Un'isola, sì, una poesia inedita di / an unpublished poem by L. Goffi, sei incisioni originali di / six original engravings by F. Ghitti, La Nuova Cartografica, Brescia (edizione in 40 esemplari, di cui 10 fuori commercio / print run of 40 copies, 10 of which not for sale).

G. Valzelli, *Ha imprigionato la luce con la gioia dei negri*, in "Giornale di Brescia", 11 settembre / September.
G. Valzelli, *Cartelle bresciane: Goffi-Ghitti*, in "Giornale di Brescia", 6 dicembre / December.

1972
AA.VV., *Catalogo Nazionale Bolaffi della pittura*, Bolaffi, Torino.
F. Calzavacca, *L'arte di Franca Ghitti in terra d'Africa*, in "Biesse", Brescia, maggio / May.
F. Calzavacca, *Franca Ghitti giovane artista di tempra camuna*, in "La Casa", Roma, maggio / May.
L.W. Doob (a cura di / edited by), *Kenya Legend*, traduzione di / translation by M. de Rachewiltz, sette incisioni originali di / seven original engravings by F. Ghitti, cinque poesie africane / five African poems, Vanni Scheiwiller editore, Milano (edizione di 70 esemplari numerati, di cui 10 fuori commercio con numerazione romana / print run of 70 numbered copies, 10 of which not for sale and numbered in Roman numerals).
E. Fezzi, A. Frandi, L. Goffi (a cura di / edited by), *Urafiki*, nove incisioni originali di / nine original engravings by F. Ghitti, La Cittadina, Darfo Boario Terme (edizione di 50 esemplari, di cui 10 fuori commercio / print run of 50 copies, 10 of which not for sale).
Omaggio alla terra d'Africa, in "Giornale di Brescia", 1 luglio / July.
G. Valzelli, *Scheiwiller cronista d'arte*, in "Giornale di Brescia", 1 febbraio / February.
G. Valzelli, *L'Africa della Ghitti*, in "Il Giornale di Brescia", 17 giugno / June.
G. Zilio, *Aperta ieri a Vilminore la mostra di Franca Ghitti*, in "L'Eco di Bergamo", 9 agosto / August.

1973
E. Cassa Salvi, *Notiziario delle arti: Venezia*, in "Giornale di Brescia", 31 ottobre / October.
M. Dorigo, *Gallerie*, in "La voce di San Marco", Venezia, 27 ottobre / October.
P. Milan, *Il grande uccello del vento*, in "Nigrizia", Verona, maggio / May.
M. Monteverdi, *Annuario degli artisti visivi italiani*, Editrice Seletecnica, Milano.
Orme del tempo. Kenya Legend: sculture e incisioni di Franca Ghitti 1969-1973, catalogo della mostra / exhibition catalog (Venezia, Galleria Santo Stefano 2, 16-27 ottobre / October), con un testo di / with a text by V. Scheiwiller.
P. Rizzi, *Ghitti*, in "Il Gazzettino", Venezia, 24 ottobre / October.
G. Valgimigli, *Auguri*, in "Brescia medica", anno XIII, n. 6, novembre-dicembre / November-December.

1974
E. Fezzi, *Kenya Legend*, in "Le arti", Milano, anno XXIV, n. 2, 2 febbraio / February, p. 75.
E. Fezzi, *Franca Ghitti al Poliedro*, in "La Provincia", Cremona, 2 marzo / March.
E. Fezzi, in V. Scheiwiller (a cura di / edited by), *Franca Ghitti. Orme del tempo*, All'insegna del pesce d'oro-Vanni Scheiwiller, Milano, pp. 17-28.

L. Goffi, in V. Scheiwiller (a cura di / edited by), *Franca Ghitti. Orme del tempo*, All'insegna del pesce d'oro-Vanni Scheiwiller, Milano, pp. 31-35.
G. Marchiori, in V. Scheiwiller (a cura di / edited by), *Franca Ghitti. Orme del tempo*, All'insegna del pesce d'oro-Vanni Scheiwiller, Milano, pp. 11-13.
V. Scheiwiller (a cura di / edited by), *Franca Ghitti. Orme del tempo*, con testi di / with texts by G. Marchiori, E. Fezzi, L. Goffi, V. Scheiwiller, collana "Il Quadrato", n. 37, All'insegna del pesce d'oro-Vanni Scheiwiller editore, Milano (edizione in 2000 copie, di cui 200 con numerazione romana, con un'incisione tirata a mano, numerata e firmata / print run of 2,000 copies, 200 of which numbered in Roman numerals, with handmade, signed and numbered engraving).
V. Scheiwiller, in V. Scheiwiller (a cura di / edited by), *Franca Ghitti. Orme del tempo*, All'insegna del pesce d'oro-Vanni Scheiwiller, Milano, pp. 39-40.
R. Tomasina, *Franca Ghitti e l'arte primitiva*, in "L'Eco di Monza", 30 gennaio / January.

1975
E. Cassa Salvi, *Notiziario delle Arti*, in "Giornale di Brescia", 19 giugno / June.
F. De Santi, *La poetica dei materiali di Franca Ghitti*, in "Bresciaoggi", 21 giugno / June.
E. Fabiani, *Fantasie barbariche*, in "Gente", Milano, anno XIX, n. 23, 9 giugno / June.
E. Fezzi, *Franca Ghitti in un libro di Scheiwiller*, in "La Provincia", Cremona, 21 febbraio / February.
Epigrammi dell'Antologia palatina, traduzione di / translation by M. Valgimigli, con un testo di / with a text by L. Goffi, e sette incisioni originali di / and seven original engravings by F. Ghitti, Vanni Scheiwiller editore, Milano (60 esemplari numerati, di cui 10 fuori commercio con numerazione romana / print run of 60 numbered copies, 10 of which not for sale and numbered in Roman numerals).
S. Maugeri, *Orme del tempo*, in "Lineagrafica. Rivista di studi grafici", Milano, gennaio-febbraio / January-February.
Nereo, *Ghitti "Orme del Tempo"*, in "Paese Sera", Roma, 13 agosto / August.
A. Sala, *Allieva di Kokoschka*, in "Il Giorno", Milano, 19 giugno / June.
V. Scheiwiller, *Franca Ghitti "Orme del Tempo"*, in "Il Settimanale", Milano, 9 giugno / June.
S. Zanzotto, *Tre profili d'autore*, in "il Resto del Carlino", Bologna, 22 luglio / July.

1976
F. Calzavacca, *Centenario di Valgimigli*, in "La Fiera Letteraria", Roma, 29 febbraio / February.
E. Cassa Salvi, *Notiziario delle Arti*, in "Giornale di Brescia", 14 febbraio / February.
P. Gibellini, *Le radici dell'arte*, in "Bresciaoggi", 27 luglio / July.
D. Lajolo, *Le voci antiche di Franca Ghitti*, in "Il Mondo", Milano, 19 febbraio / February.
Legni e grafica di Franca Ghitti, pieghevole della mostra / exhibition leaflet (Omegna, Galleria d'arte Spriano, 15 maggio / May - 10 giugno / June), con un testo di / with a text by G. Marchiori.

Il liuto di Gassire, leggenda africana di / African legend by L. Frobenius, con due scritti di / with two writings by E. Pound, traduzione di / translation by W. de Rachewiltz, illustrato da sei incisioni di / illustrated with six engravings by F. Ghitti, Vanni Scheiwiller editore, Milano (edizione di 55 esemplari numerati, di cui 15 fuori commercio, di questi 10 con numerazione romana, 5 contrassegnati dalle vocali A E I O U / print run of 55 numbered copies, 15 of which not for sale; of these, 10 numbered in Roman numerals and 5 marked by the vowels A E I O U).
G. Marchiori, in *Vitalità dell'arte di Franca Ghitti*, catalogo della mostra / exhibition catalog (Milano, Centro Rizzoli, 17 gennaio / January - 10 febbraio / February).
G. Mascarpera, *Dall'arte camuna all'Avanguardia*, in "L'Avvenire", Milano, 30 gennaio / January.
A. Mazza, *Uno scrigno per "Il Liuto di Gassire"*, in "Giornale di Brescia", 15 dicembre / December.
Ponziano, *Mostre. Franca Ghitti*, in "Arte e Società", Roma, gennaio-aprile / January-April.
A. Sala, *Arte e mostre, un linguaggio severo*, in "Il Giorno", Milano, 7 febbraio / February.
V. Scheiwiller, *Franca Ghitti: legni e grafica*, in "Il Settimanale", Milano, 9 giugno / June.
G. Valmigli, *Nel Castello di Brunnenburg*, in "Giornale di Brescia", 16 luglio / July.

1977
A. Chiaruttini, *Libri novità*, in "L'Europeo", Milano, 27 gennaio / January.
P. Gibellini, *L'Africa è dentro*, in "Bresciaoggi", 30 gennaio / January.
P. Gibellini, *Le radici dell'arte*, in "Bresciaoggi", 27 luglio / July.
G. Marchiori, *Orme del tempo di Franca Ghitti*, in *Interventi sull'arte figurativa contemporanea 1970-1976*, Matteo Editore, Treviso, pp. 190-192.
S. Maugeri, *Il Liuto di Gassire*, in "Linea Grafica Rivista di studi Grafici", Milano, gennaio-febbraio / January-February.
V. Merlo Pick (a cura di / edited by), *99 proverbi kikuyu*, con un testo di / with a text by R. Sanesi, traduzione di / translation by E. Cavicchi, cinque incisioni originali di / five original engravings by F. Ghitti, Vanni Scheiwiller editore, Milano (edizione di 70 esemplari numerati, di cui 10 con numerazione romana / print run of 70 numbered copies, 10 of which numbered in Roman numerals).
R. Sanesi, *Introduzione*, in V. Merlo Pick (a cura di / edited by), *99 proverbi kikuyu*, Vanni Scheiwiller editore, Milano.
D. Tamagnini, *Un museo in Valcamonica sull'artigianato del legno*, in "Corriere della Sera", Milano, 3 giugno / June, p. 13.
F. Vincitorio, *Gallerie*, in "l'Espresso", Roma, 23 gennaio / January.
S. Zanzotto, *Pittura e Poesia*, in "Il Piccolo", Trieste, 28 ottobre / October.

1978
R. De Grada, *Franca Ghitti: vent'anni di incisioni*, in "Giorni", Milano, 26 aprile / April.
F. De Santi, *L'alfabeto magico di Franca Ghitti*, in "Bresciaoggi", 9 settembre / September.

E. Fezzi, *Ricerca di simboli*, in *Franca Ghitti. Incisioni 1957-1977*, catalogo della mostra organizzata dalla / catalog of the exhibition organized by Ripartizione Cultura Comune di Milano (Milano, Palazzo Sormani, 9 febbraio / February - 4 marzo / March), All'insegna del pesce d'oro-Vanni Scheiwiller editore, Milano, pp. 9-19.
Franca Ghitti. Incisioni 1957-1977, con un testo di / with a text by E. Fezzi, e una poesia di / and a poem by S. Boccardi, catalogo della mostra organizzata dalla / catalog of the exhibition organized by Ripartizione Cultura Comune di Milano (Milano, Palazzo Sormani, 9 febbraio / February - 4 marzo / March), All'insegna del pesce d'oro-Vanni Scheiwiller editore, Milano (edizione di 1000 esemplari numerati, di cui 100 con numerazione romana / print run of 1,000 numbered copies, 100 of which numbered in Roman numerals).
S. Ghiberti, *Le testimonianza grafiche*, in "Gente", Milano, 11 marzo / March.
F. Ghitti (a cura di / edited by), *La valle dei magli*, con testi di / with texts by J. Recupero, D. Lajolo, G. Forni, G. Castagnetti, A. Cavalli, Vanni Scheiwiller editore, Milano.
A. Mazza, *Il recupero della "memoria collettiva"*, in "Giornale di Brescia", 21 luglio / July.
Rimanenze, edizione speciale con una scultura originale in ferro di / special edition with an original iron sculpture by F. Ghitti, e una nota di / and a note by V. Scheiwiller, Scheiwiller editore, Milano (edizione di 99 esemplari / print run of 99 copies).
A. Sala, *Arte e Mostre. Franca Ghitti*, in "Il Giorno", Milano, 18 febbraio / February.

1979
C. Belli, *Musa inquietante*, in C. Belli (a cura di / edited by) *Memoria del ferro. Sculture di Franca Ghitti 1977-1979*, All'insegna del pesce d'oro-Vanni Scheiwiller editore, Milano, pp. 7-10.
C. Belli (a cura di / edited by), *Memoria del ferro. Sculture di Franca Ghitti 1977-1979*, All'insegna del pesce d'oro-Vanni Scheiwiller editore, Milano (edizione in 1000 copie numerate / print run of 1,000 numbered copies).
L. Bortolon, *Le altre mostre: Franca Ghitti*, in "Grazia", Milano, 31 maggio / May.
F. Ghitti (a cura di / edited by), *La farina e i giorni: mulini della Valcamonica*, con un testo di / with a text by J. Recupero, illustrazioni di / illustrated by L. Montini, Banca di Valle Camonica-La nuova cartografica, Brescia.
Cronachetta, nove poesie inedite di / nine unpublished poems by L. Goffi, con un testo di / with a text by B. Passamani, sei incisioni originali di / six original engravings by F. Ghitti, Vanni Scheiwiller editore, Milano (edizione di 80 esemplari numerati, di cui 10 fuori commercio con numerazione romana / print run of 80 numbered copies, 10 of which not for sale and numbered in Roman numerals).
Ghitti-Gates, catalogo della mostra / exhibition catalog (Brunnenburg, Tirolo di Merano, Museo Agricolo, luglio-settembre / July-September), con un testo di / with a text by S. Antonielli.

Inverno triste, con due poesie di / with two poems by G. Orelli, e due linoleum a colori originali di / and two original color linoleum works by F. Ghitti, Vanni Scheiwiller editore, Milano (edizione di 100 esemplari, di cui 21 con numerazione romana / print run of 100 copies, 21 of which numbered in Roman numerals).
J.P. Jouvet, *Da "Totem" a "Kenia Legend"*, in "L'Arena", Verona, 26 luglio / July.
A. Maizza, *È nato un libro scultura*, in "Giornale di Brescia", 16 marzo / March.
E. Maizza, *I modi elementari*, in "Giornale di Brescia", 18 agosto / August.
V. Merlo Pick (a cura di / edited by), *99 proverbi kikuyu*, traduzione di / translation by E. Cavicchi, con un testo di / with a text by A. Tagliaferri, otto linoleum di F. Ghitti, sei originali in b/n, due a colori tirati a mano dall'artista / eight linoleum works by F. Ghitti, of which six black-and-white originals and two colored handmade the artist, Libri Scheiwiller, Milano (edizione di 125 esemplari numerati, di cui 15 con numerazione romana destinati ai collaboratori / print run of 125 numbered copies, 15 of which numbered in Roman numerals and made for those who participated in the project).
M. Picchi, *Freschi di stampa*, in "l'espresso", Roma, 1 luglio / July.
G. Stella, *Le vie del ferro di Franca Ghitti*, in "La Voce del Popolo", Brescia, 31 agosto / August.

1980
G.C. Argan, *Introduzione*, in V. Scheiwiller (a cura di / edited by), *Vicinìe. La terra, i segni nella scultura in legno di Franca Ghitti*, All'insegna del pesce d'oro-Vanni Scheiwiller editore, Milano, pp. 7-8.
L. Bortolon, in *Catalogo Nazionale Bolaffi della Grafica*, n. 10.
E. Fezzi, *Franca Ghitti a Mantova: "elegia" e "inno" della Valcamonica*, in "Nuova Rivista Europea", Trento, ottobre-dicembre / October-December.
E. Fezzi, *Notizia*, in V. Scheiwiller (a cura di / edited by), *Vicinìe. La terra, i segni nella scultura in legno di Franca Ghitti*, All'insegna del pesce d'oro-Vanni Scheiwiller editore, Milano, pp. 135-139.
S. Ghiberti [E. Fabiani], *Lo spirito camuno rivive nelle sue opere*, in "Gente", Milano, 24 ottobre / October.
J. de Ibarbourou, *Les chansons de Natacha*, con un monotipo di / with a monotype by F. Ghitti, Franco Riva, Verona.
L. Lambertini, *La vita quotidiana e la sua favola*, in "Il Gazzettino", Venezia, 24 ottobre / October.
L. Lambertini, *I "legni" di Franca Ghitti*, in "L'Unione Sarda", Cagliari, 20 novembre / November.
G. Marchiori, presentazione / foreword, catalogo della mostra / exhibition catalog (Torino, Palazzo della Promotrice delle Belle Arti al Valentino, marzo / March).
R. Margonari, *Franca Ghitti e l'antica civiltà camuna*, in "L'Umanità", Roma, 10 novembre / November.
M. Picchi, *Freschi di stampa*, in "l'espresso", Roma, 30 novembre / November.

V. Scheiwiller, *L'artista come depositario e interprete della memoria collettiva*, catalogo del Credito Italiano per l'inaugurazione della sede di Brescia / catalog for the opening of Credito Italiano's Brescia headquarters, 18 gennaio / January.
V. Scheiwiller, *Nota dell'editore*, in V. Scheiwiller (a cura di / edited by), *Vicinìe. La terra, i segni nella scultura in legno di Franca Ghitti*, All'insegna del pesce d'oro-Vanni Scheiwiller editore, Milano, pp. 133-134.
V. Scheiwiller (a cura di / edited by), *Vicinìe. La terra, i segni nella scultura in legno di Franca Ghitti*, con testi di / with texts by G.C. Argan, V. Scheiwiller, E. Fezzi, All'insegna del pesce d'oro-Vanni Scheiwiller editore, Milano (edizione in 1500 esemplari, di cui 99 numerati 1-99, 15 numerati I-XV con una scultura originale in legno / print run of 1,500 copies, 99 of which numbered 1–99 and 15 numbered I–XV with an original wooden sculpture).
L. Spiazzi, *Franca Ghitti: la terra dei segni di una radice mai tagliata*, in "Bresciaoggi", 11 ottobre / October.
A. Trombadori, *Sculture, Totem, Tabù*, in "L'Europeo", Roma, 10 novembre / November.
F. Vincitorio, *La parte dell'occhio*, in "l'Espresso", Roma, 12 ottobre / October.
S.W. [S. Weller], *Memoria di una valle*, in "Noi Donne", Roma, 17 ottobre / October.
S.Z. [S. Zanotto], *Memoria del ferro*, in "Il Piccolo", Trieste, 5 ottobre / October.

1981
R. Barletta, *La vendetta dell'oggetto*, in "Corriere della Sera", Milano, 14 marzo / March.
D. Cara, *Franca Ghitti: l'ottimismo della memoria*, in "Arte-Cultura", Milano, aprile / April.
L. Carluccio, *Franca Ghitti alla Promotrice*, in "Gazzetta del Popolo", Torino, 15 marzo / March.
M. Corti, *Vicinìe*, in "Alfabeta", Milano, marzo / March.
M. Corti, *Il viandante di Calvino e le mappe della Ghitti*, in "Giornale di Brescia, 20 ottobre / October.
F. De Santi, *La vita delle valli scritta sul legno*, in "Stampa Sera", Torino, 11 marzo / March.
A. Dragone, *Sculture e misteri della Val Camonica*, in "La Stampa", 26 marzo / March.
S. Grasso, *Arriva una camuna tremila anni dopo*, in "Domenica del Corriere", 28 marzo / March.
G. Marchiori (a cura di / edited by), *Vicinìe. La terra, i segni nella scultura in legno di Franca Ghitti*, catalogo della mostra / exhibition catalog (Torino, Palazzo della Promotrice delle Belle Arti al Valentino, 6-31 marzo / March).
E. Pound, *Il nocchiero*, traduzione di / translation by M. de Rachewiltz, una acquaforte di / an etching by F. Ghitti, Franco Riva, Verona (edizione di 100 esemplari / print run of 100 copies).
L. Sinisgalli, *Imitazioni*, con cinque acqueforti di / with five etchings by F. Ghitti, L'Arco edizioni d'arte, Roma (edizione di 50 esemplari numerati / print run of 50 numbered copies).

Il viandante invisibile, con un testo di / with a text by I. Calvino, e cinque incisioni a secco di / and five drypoint engravings by F. Ghitti, Edizioni Vanni Scheiwiller, Milano (edizione di 75 esemplari numerati, di cui 15 con numerazione romana / print run of 75 numbered copies, 15 of which numbered in Roman numerals).
"Il viandante invisibile" di Franca Ghitti, in "Corriere della Sera", Milano, 1 novembre / November, p. 13.

1982
Alle selve, alle foglie dei boschi. Cinque frammenti dalle Georgiche, traduzione di / translation by S. Quasimodo, con un testo di / with a text by C. Bertelli, e cinque acqueforti originali di / and five original etchings by F. Ghitti, Naquane, Milano-Val Camonica (edizione di 70 esemplari numerati / print run of 70 numbered copies).
Bonvesin de la Riva, *De Cruce*, a cura di / edited by G. Contini, S. Isella Brusamolino, con due acqueforti di / with two etchings by F. Ghitti, ed. Cento Amici del Libro, Cento (edizione di 130 esemplari numerati stampata su torchio a mano, Verona, Officina Bodoni / print run of 130 numbered copies made with a hand press at Officina Bodoni, Verona).
F. Loi (a cura di / edited by), *Luigi Spacal: grafica. Franca Ghitti: sculture*, catalogo della mostra / exhibition catalog (Venezia, Galleria Il Canale, 1-15 settembre / September; Cremona, Galleria d'arte Il Triangolo, 11 dicembre / December 1982 - 6 gennaio / January 1983; Parma, Centro Steccata Arte Contemporanea, 7 maggio / May - 7 giugno / June 1983), Lucini, Milano.
F. Loi, *Paesaggi*, in F. Loi (a cura di / edited by), *Luigi Spacal: grafica. Franca Ghitti: sculture*, catalogo della mostra / exhibition catalog (Venezia, Galleria Il Canale, 1-15 settembre / September; Cremona, Galleria d'arte Il Triangolo, 11 dicembre / December 1982 - 6 gennaio / January 1983; Parma, Centro Steccata Arte Contemporanea, 7 maggio / May - 7 giugno / June 1983), Lucini, Milano.
Pagine di pietra, con testi di / with texts by G. Pugliese Carratelli, E. Fezzi, sei incisioni rupestri a cura di / six rock engravings by F. Ghitti, Naquane, Milano-Val Camonica (edizione di 114 esemplari, di cui 15 con numerazione romana / print run of 114 copies, 15 of which numbered in Roman numerals).
L.S. Senghor (a cura di / edited by), *Petite antologie de poètes négro-africains de langue française*, con sette incisioni di / with seven engravings by F. Ghitti, Scheiwiller editore, Milano (strenna per gli amici di Paolo Franci / Christmas gift for Paolo Franci's friends).

1983
G.C. [G. Cavazzini], *I segni di Franca Ghitti*, in "Gazzetta di Parma", 15 maggio / May.
E. Pound, *Poesie e frammenti dell'albero*, a cura di / edited by M. de Rachewiltz, con quattro incisioni di / with four engravings by F. Ghitti, Naquane, Milano-Val Camonica.
E. Pound, *Poesie e frammenti dell'albero*, a cura di / edited by M. de Rachewiltz, con

quattro incisioni di / with four engravings by F. Ghitti, Credito Italiano, Milano.
A. Spina, *Poeti africani con Senghor e la Ghitti*, in "Giornale di Brescia", 4 marzo / March.

1984
AA.VV., *F. Ghitti*, in *Dizionario Pittori e Scultori Bresciani*, Giorgio Zanolli Editore, Brescia.
C. Bertelli, *Prefazione*, in V. Scheiwiller (a cura di / edited by), *Ghitti. Libro chiuso*, "Collezione Arte Moderna Italiana" n. 95, a cura di / edited by G. Scheiwiller, All'insegna del pesce d'oro-V. Scheiwiller editore, Milano, pp. 7-11.
G. Bondioni, *Radici: storia e poesia. L'approdo di Franca Ghitti*, Luigi Micheletti Editore, Brescia.
E. Cassa Salvi, *Franca Ghitti: raccontare, costruire. La bella mostra aperta a Rodengo*, in "Giornale di Brescia", 2 ottobre / October.
M. Corradini, *Pagine chiuse*, in "Bresciaoggi", 12 agosto / August.
M. Corradini, *Franca Ghitti fra cultura contadina e civiltà industriale*, in "l'Unità", Roma, 8 ottobre / October.
M. Corradini, *Nuovi ritmi, nuove scansioni*, in "Bresciaoggi", 19 ottobre / October.
Franca Ghitti. Raccontare, costruire, catalogo della mostra / exhibition catalog (Milano, Palazzo Bagatti-Valsecchi Museo Archeologico, 11 maggio / May - 11 giugno / June; Rodengo Saiano, Abbazia Olivetana, maggio-giugno / May-June), con un testo di / with a text by B. Passamani, Grafo Edizioni, Brescia.
S. Grasso, *Pagine dell'albero*, in "Corriere della Sera", Milano, 30 maggio / May.
Le memorie del ferro nell'abbazia restaurata, in "Corriere della Sera", Milano, 12 ottobre / October, p. 21.
V. Scheiwiller (a cura di / edited by), *Ghitti. Libro chiuso*, "Collezione Arte Moderna Italiana" n. 95, a cura di / edited by G. Scheiwiller, All'insegna del pesce d'oro-V. Scheiwiller editore, Milano (edizione di 1100 esemplari numerati, di cui i primi 30 con allegata una scultura originale in legno dell'artista / print run of 1,100 copies, the first 30 of which with an original wooden sculpture by the artist).

1985
M.L. Ardizzone, *L'albero non muore se il sogno resta*, in "Giornale di Brescia", 21 novembre / November.
E come potevamo, con tre poesie di / with three poems by S. Quasimodo, due linoleum originali di / two original linoleum works by F. Ghitti, Naquane, Milano-Val Camonica (edizione di 81 esemplari, di cui 31 in numerazione romana / print run of 81 copies, 31 of which numbered in Roman numerals).
A. Falletti, *Ghitti*, in "D'Ars", Milano, n. 108, luglio / July, p. 94.
A.M. [A. Mazza], *Franca Ghitti apre il suo "libro chiuso"*, in "Giornale di Brescia", 21 aprile / April.
G. Marchiori, *L'opera di Franca Ghitti*, in "Quaderni Camuni", Brescia, anno 8, n. 29/30, marzo-giugno / March-June, ed. Vannini, pp. 93-108.
Padri dei padri, una poesia di / a poem by M. Luzi, con un testo di / with a text by

M.L. Ardizzone, cinque acqueforti originali di / five original etchings by F. Ghitti, Naquane, Milano-Val Camonica (edizione di 65 esemplari numerati 1-65; 15 esemplari numerati I-XV riservati ai collaboratori / print run of 65 copies numbered 1–65; 15 copies numbered I–XV for those who participated in the project).
B. Passamani, *Franca Ghitti. Erzählen, Gestalten*, Pädagogische Hochschule Heidelberg, Heidelberg.
Scultura e grafica di Franca Ghitti, in "Corriere della Sera", Milano, 22 aprile / April, p. 21.

1986
La clessidra, con una poesia di / with a poem by J.L. Borges e un'incisione di / and an engraving by F. Ghitti, Milano (edizione di 54 esemplari, di cui 15 in numerazione romana / print run of 54 copies, 15 of which numbered in Roman numerals).
F. Ghitti, *La porta del silenzio*, testo e una incisione originale / text and an original engraving, Naquane, Milano-Val Camonica (edizione di 331 esemplari, di cui 31 in numerazione romana / print run of 331 copies, 31 of which numbered in Roman numerals).
Mappe, con quattro incisioni a secco di / with four drypoint engravings by F. Ghitti, e un testo di / and a text by M. Corti, Naquane, Milano-Val Camonica (edizione in 38 esemplari / print run of 38 copies).
Padre Gregorio di Val Camonica, *Curiosi Trattenimenti de' Popoli Camuni. Frammenti*, a cura e con tre acqueforti di / edited and with three etchings by F. Ghitti, Naquane, Milano-Val Camonica (edizione in 230 esemplari, di cui 31 fuori commercio / print run of 230 copies, 31 of which not for sale).
A. Pansera, M. Vitta, *Guida all'arte contemporanea*, Marietti, Casale Monferrato, p. 160.
V. Scheiwiller (a cura di / edited by), *Cinquant'anni di cultura a Milano 1936-1986*, Credito Lombardo-Libri Scheiwiller, Milano.

1987
E. Crispolti, *Il tempo verticale di Franca Ghitti*, in "Giornale di Brescia", 3 giugno / June.
G. da Lezze, *Ferrarezza: frammenti da Il Catastico Bresciano 1609-1610*, a cura e con un'acquaforte su quattro tavole di / edited and with an etching on four plates by F. Ghitti, Naquane, Milano-Val Camonica (edizione in 299 esemplari, di cui 20 con numerazione romana / print run of 299 copies, 20 of which numbered in Roman numerals).
M. De Stasio, *Franca Ghitti*, in "Il Bollettino", Lugano, primavera.
E. Iacono, *Boario accoglierà le opere della Ghitti*, in "Bresciaoggi", 30 dicembre / December.
Padre Gregorio di Val Camonica, *Curiosi Trattenimenti de' Popoli Camuni. Frammenti*, a cura e con tre acqueforti di / edited and with three etchings by F. Ghitti, Naquane, Milano-Val Camonica (seconda edizione in 162 esemplari, di cui 12 con numerazione romana / second print run of 162 copies, 12 of which numbered in Roman numerals).

Le tradizioni popolari camune esposte nel convento di Darfo, in "Corriere della Sera", Milano, 27 settembre / September, p. 36.

1988
Africani e camuni per i tracciati di Franca Ghitti, in "Arte", Milano, ottobre / October.
G. Appella, *Ferro e legno, fra passato e futuro*, in "L'Osservatore Romano", 23 ottobre / October.
V. Apuleio, *Franca Ghitti, fascino del legno*, in "Il Messaggero", Roma, Roma, 27 settembre / September.
U.B., *Franca Ghitti scultrice*, in "Regione Oggi", dicembre / December.
C. Bertelli, *L'impronta e la gestualità*, in *Ghitti. Scultura 1965-1988*, Electa, Milano, pp. 22-24.
E. Bilardello, *Sculture di Franca Ghitti*, in "Corriere della Sera", Milano, 4 ottobre / October.
G. Bondioni, *Radici, storia e poesia. L'approdo di Franca Ghitti*, in *Le ragioni degli uomini. Materiali per riflettere di politica e filosofia*, Fondazione Calzari-Trebeschi/Università popolare di Vallecamonica-Sebino, Brescia, pp. 173-177.
G. Bondioni, *Lirica, storia, coscienza di una periferia*, in *Le ragioni degli uomini. Materiali per riflettere di politica e filosofia*, Fondazione Calzari-Trebeschi/Università popolare di Vallecamonica-Sebino, Brescia, pp. 179-185.
R. Bresciani, *Quei fogli della Ghitti illuminati dalla poesia*, in "Giornale di Brescia", 23 marzo / March, p. 3.
E. Caroli, *Così è l'arte "primitiva" della materia*, in "l'Unità", Roma, 15 ottobre / October.
E. Crispolti (a cura di / edited by), *Ghitti. Luoghi e tracciati*, catalogo della mostra / exhibition catalog (Roma, Palazzo Braschi, 22 settembre / September - 22 ottobre / October).
E. Crispolti, *Materia e segno*, in M. Vitta (a cura di / edited by), *Ghitti. Scultura 1965-1988*, Electa, Milano, pp. 17-21.
L. De Sanctis, *I totem moderni sono in mostra*, in "la Repubblica", 24 settembre / September.
A. Festa, *Come un albero nel bosco*, in "Bresciaoggi", 24 giugno / June 1988, p. 13.
E. Fontana, *Il ponte della cultura oltre i confini dell'Oglio*, in "Giornale di Brescia", 28 settembre / September.
E. Fontana, *Il palinsesto ritrovato Franca Ghitti e gli affreschi a Breno*, in "Cento3", Brescia, dicembre / December, pp. 52-57.
Franca Ghitti: luoghi e tracciati, in "Next", Roma, anno IV, n. 11-12, III-IV trimestre.
E. Gallian, *Ghitti, speciali strumenti che producono idee*, in "l'Unità", Roma, 25 settembre / September.
La Ghitti a Palazzo Braschi, in "Il Secolo d'Italia", Roma, 17 settembre / September.
E. Iacono, *I lavori della Ghitti conquistano Roma*, in "Bresciaoggi", 28 settembre / September, p. 9.
E. Iacono, *Allori romani per la Ghitti*, in "Bresciaoggi", 6 novembre / November.
L. Lombardi, *Dall'archeologia etrusca e romana al futurismo di Balla, pittura e scultura terranno banco fino a inverno inoltrato. Palazzo Braschi e Villa Medici santuari delle esposizioni*, in "Il Tempo", Roma, 18 agosto / August.

L. Lombardi, *La magia del primitivo*, in "Il Tempo", Roma, 21 settembre / September.
A. Mazza, *Franca Ghitti: i segni del ferro e del legno*, in "Giornale di Brescia", 3 dicembre / December.
S. Orienti, *Gli aspri sentori del ferro e del legno*, in "Il Popolo", Roma, 10 ottobre / October.
A Palazzo Braschi ferro e legno diventano arte, in "Paese Sera", Roma, 30 settembre / September.
Palazzo Braschi: in mostra le sculture di Franca Ghitti, in "Il Giornale d'Italia", Roma, 23 settembre / September.
G. Ravasi, *Un'architettura di legno Franca Ghitti a Palazzo Braschi*, in "Corriere della Sera", Milano, 9 ottobre / October, p. 21.
A Roma "Luoghi e tracciati" di Franca Ghitti, in "Giornale di Brescia", 21 settembre / September.
Rosso di Saturno, presentato da / introduced by N. Strampelli, in "Orione", RAI 3, 8 ottobre / October.
W. Schönenberger, *I segni del presente*, in M. Vitta (a cura di / edited by), *Ghitti. Scultura 1965-1988*, Electa, Milano, pp. 29-35.
C. Strano, *Un libro su Franca Ghitti*, in "L'Arca. Rivista internazionale di architettura, design e comunicazione visiva", Milano, ottobre / October.
A. Tagliaferri, *La materia, la memoria*, in M. Vitta (a cura di / edited by), *Ghitti. Scultura 1965-1988*, Electa, Milano, pp. 25-28.
L. Trucchi, *Antologica di Franca Ghitti a Roma. La materia e la memoria*, in "Il Giornale", Milano, 16 ottobre / October.
M. Vitta (a cura di / edited by), *Ghitti. Scultura 1965-1988*, Electa, Milano.
M. Vitta, *Introduzione a Franca Ghitti*, in M. Vitta (a cura di / edited by), *Ghitti. Scultura 1965-1988*, Electa, Milano, pp. 7-16.

1989
R. Bossaglia, *Cinque scultori a confronto tra di loro e con l'antico*, in "Corriere della Sera", Milano, 6 giugno / June, p. 37.
M. Corradini, *Pagine chiuse*, in "Bresciaoggi", 12 agosto / August.
Franca Ghitti. Bosco, pieghevole della mostra / exhibition leaflet (Ratisbona, Thon Dittmer Palais, 19 ottobre / October - 18 novembre / November), con un testo di / with a text by E. Pontiggia.
Franca Ghitti. Bosco. Installazione, legno e ferro, catalogo della mostra / exhibition catalog (Milano, Museo Archeologico, maggio-settembre / May-September), con un testo di / with a text by M. Vitta.
Kultur zum Anschauen, Zuhören und Mitmachen, in "Mittelbayerische Zeitung", 18 ottobre / October.
A. Mazza, *Nel bosco, alla ricerca del sentiero occultato*, in "Giornale di Brescia", 12 luglio / July.
E. Pontiggia, *Il Bosco come spazio e ritmo geometrico*, in "Giornale di Brescia", 9 novembre / November.
E. Pontiggia, *Ghitti. Il bosco come spazio e ritmo geometrico*, catalogo della mostra / exhibition catalog, Regensburg.

P. Tomasoni (a cura di / edited by), *Un'antica passio bresciana*, con tre acqueforti di / with three etchings by F. Ghitti, Naquane-Vanni Scheiwiller editore, Val Camonica-Milano (edizione di 250 esemplari numerati / print run of 250 numbered copies).
M. Vitta, *Il bosco di Franca Ghitti*, in "Città e dintorni", Brescia, settembre-ottobre / September-October, pp. 16-23.
M. Vitta, *La scultura nel territorio*, in "D'Ars", Milano, ottobre / October.
Welt der Kindheit, Welt der Mythen, in "Mittelbayerische Zeitung", 21 ottobre / October.

1990
M. De Stasio, *A proposito di alcuni problemi della scultura contemporanea*, in *Scultura a Milano 1945-1990*, Edizioni Gabriele Mazzotta, Milano.
L'essenzialità nella vita e nell'arte. Profili di donne bresciane, in "Bresciaoggi. Brescia al femminile", suppl. al n. 56, 8 marzo / March, p. 14.
Mappe 1965-1990: cinque installazioni di Franca Ghitti, catalogo della mostra / exhibition catalog (Pavia, Università degli Studi, Collegio Cairoli, 7 marzo / March - 6 aprile / April; Monaco di Baviera, Istituto Italiano di Cultura Hermann, 9-30 maggio / May), con un testo di / with a text by M. Corti, Stampa Lucini, Milano.
E. Spatola, *Nell'arte moderna rivivono le incisioni rupestri*, in "Corriere della Sera", Milano, 10 marzo / March, p. 44.

1991
M.L. Ardizzone, *Una Passio alle origini del dialetto*, in "Giornale di Brescia", 20 giugno / June.
O. Bertani, *Il fascino severo e antico del dramma della Passione*, in "Avvenire", Milano, 28 giugno / June.
La neve, con una poesia di / with a poem by A. Zanzotto, e due acqueforti di / and two etchings by F. Ghitti, Naquane, Milano-Val Camonica (edizione di 200 esemplari numerati, di cui 150 1-150, 31 I-XXXI e 20 A-V / print run of 200 numbered copies, 150 of which numbered 1–150, 31 I–XXXI, and 20 A–V).
E. Pound, *L'albero*, traduzione di / translation by M. De Rachewiltz, con una acquaforte originale di / with an original etching by F. Ghitti, Naquane, Milano-Val Camonica (edizione in 99 esemplari / print run of 99 copies).
E. Santarella, C. Strano (a cura di / edited by), *Arte e architettura. Proposte per l'ambiente urbano*, catalogo della mostra / exhibition catalog (Milano, Spazio Ansaldo-Città della Cultura, 27 settembre / September - 6 ottobre / October), Tipografia Urbana, Vaprio d'Adda.
E. Zanotti, *Scolpita nella solitudine*, in "Primopiano", n. 28, dicembre / December, pp. 8-10.

1992
M. Corradini, *Museo della memoria*, in "Bresciaoggi", 17 settembre / September.
M. Corradini, *Bresciani al Moma*, in "Bresciaoggi", 27 dicembre / December.

F. Lorenzi, *Il gusto del primitivo nella scultura del '900*, in "Giornale di Brescia", 10 aprile / April.
Riflessioni sull'opera di Franca Ghitti, pieghevole della mostra / exhibition leaflet (Monaco di Baviera, Galerie Mielich-Werber), con un testo di / with a text by E. Gomringer.
V. Scheiwiller, *La scultura entra in campo*, in "Il Sole 24 Ore", 27 settembre / September.
M. Vitta, *Arte, natura, ambiente*, in "Via", Milano, settembre / September.

1993
F. Ghitti, *Albero croce: scultura*, cartella illustrata / illustrated portfolio, Comune di Cividate Camuno.
Ghitti Skulpuren Installationen, pieghevole della mostra / exhibition leaflet (Vienna, Istituto Italiano di Cultura, 24 maggio / May - 24 giugno / June), con un testo di / with a text by E. Gomringer.
Iron Memory. Franca Ghitti. Laboratorio/ Installazione, pieghevole della mostra / exhibition leaflet (Brescia, Collezione d'Arte Moderna e Contemporanea-Collezione Arte e Spiritualità, maggio-ottobre / May-October), con un testo di / with a text by F. Lorenzi.
F. Lorenzi, *Franca Ghitti ripercorre le strade di Costantin Brancusi*, in "Giornale di Brescia", 5 ottobre / October.
Omaggio a Brancusi, pieghevole della mostra / exhibition leaflet (Romania, Oradea e Cluij-Napaca, Sala Municipale Mercur, ottobre-novembre / October-November), con un testo di / with a text by R. Bossaglia.
F. Tedeschi, *Invenzione e ricordo*, in "Il Giornale", Milano, 10 ottobre / October.

1994
M. De Micheli (a cura di / edited by), *Scultura*, Arnoldo Mondadori Editore, Milano.
Franca Ghitti: la città e la sua impronta, catalogo della mostra / exhibition catalog (New York, New York University, Casa italiana Zerilli-Marimò, 4-27 aprile / April), con un testo di / with a text by M. Vitta.
Franca Ghitti Sculptures, pieghevole della mostra / exhibition leaflet (New York, New York University, Casa italiana Zerilli-Marimò, 4-27 aprile / April), con un testo di / with a text by M. Vitta.
F. Lorenzi, *La città e la sua impronta*, in "Giornale di Brescia", 5 aprile / April.
F. Lorenzi, *La materia ha un ritmo di racconto*, in "Giornale di Brescia", 2 luglio / July.
G. Sbaraini, *Nel legno rinasce la valle dei ricordi*, in "Bresciaoggi", 8 aprile / April.
V. Scheiwiller (a cura di / edited by), *40x80. Le strenne per gli amici di Paolo e Paola Franci*, Biblioteca Nazionale Braidense, Milano.

1995
M.L. Ardizzone, *L'albero non muore se il sogno resta, 1985*, in *Wald / Bosco di Franca Ghitti*, Grafo, Brescia, p. 18.
G.C. Argan, *Vicinìe, 1980*, in *Wald / Bosco di Franca Ghitti*, Grafo, Brescia, p. 12.
C. Bertelli, *Libro chiuso, 1984*, in *Wald / Bosco di Franca Ghitti*, Grafo, Brescia, p. 14.
R. Bossaglia, *Omaggio a Brancusi, 1993*, in *Wald / Bosco di Franca Ghitti*, Grafo, Brescia, p. 30.

M. Corradini, *Memorie e visioni dai legni di Franca alle "carte" di Giulia*, in "Bresciaoggi", 30 marzo / March.
M. Corradini, *Pagine chiuse, 1989. Nel labirinto di Ferro, 1993*, in *Wald / Bosco di Franca Ghitti*, Grafo, Brescia, p. 28.
E. Crispolti, *Ghitti Scultura, 1988*, in *Wald / Bosco di Franca Ghitti*, Grafo, Brescia, p. 20.
G. Da Via, *La costante tensione verso mete creative sempre nuove*, in "L'Osservatore Romano", 10 settembre / September.
C. De Carli, *La collezione d'Arte Contemporanea. La scultura*, Associazione Arte e Spiritualità-La Nuova Cartografica, Brescia, pp. 60, 145-146.
R. Farina (a cura di / edited by), *Dizionario biografico delle donne lombarde*, Baldini & Castoldi, Milano.
E. Fezzi, *Franca Ghitti, 1977*, in *Wald / Bosco di Franca Ghitti*, Grafo, Brescia, p. 10.
F. Gualdoni, *Percorsi*, in *Sculture e segno*, Charta, Milano.
I. Judmayer, *Mit Hand zum Werk*, in "Nachrichten", Linz, 19 dicembre / December.
F. Lorenzi, *Ritmi di storie intime e collettive*, in "Giornale di Brescia", 17 marzo / March.
F. Lorenzi, *Una mappa per il bosco*, in *Wald / Bosco di Franca Ghitti*, Grafo, Brescia, pp. 3-8.
I. Millesimi (a cura di / edited by), *Franca Ghitti, Giulia Napoleone. Opere 1963-1994*, catalogo della mostra / exhibition catalog (Brescia, Palazzo Martinengo, chiesa di San Desiderio, 17 marzo / March - 25 aprile / April), Società Editrice Vallecamonica, Darfo Boario Terme.
I. Millesimi, *La misurazione e l'infinito. Percorsi di Franca Ghitti e Giulia Napoleone*, in I. Millesimi (a cura di / edited by), *Franca Ghitti, Giulia Napoleone. Opere 1963-1994*, catalogo della mostra / exhibition catalog (Brescia, Palazzo Martinengo, chiesa di San Desiderio, 17 marzo / March - 25 aprile / April), Società Editrice Vallecamonica, Darfo Boario Terme, pp. 15-21.
B. Passamani, *Raccontare costruire, 1984*, in *Wald / Bosco di Franca Ghitti*, Grafo, Brescia, p. 16.
E. Pontiggia, *Bosco, 1989*, in *Wald / Bosco di Franca Ghitti*, Grafo, Brescia, p. 24.
G. Reichart, *Zeichen für unsere Zeit*, in "Volksblat", Linz, 15 dicembre / December.
A. Sabatucci, *Gli alfabeti dimenticati*, in "Bresciaoggi", 14 marzo / March.
W. Schönenberger, *Ghitti Scultura, 1988*, in *Wald / Bosco di Franca Ghitti*, Grafo, Brescia, p. 22.
M. Vitta, *Bosco, 1989*, in *Wald / Bosco di Franca Ghitti*, Grafo, Brescia, p. 26.
Wald / Bosco di Franca Ghitti, con una poesia di / with a poem by E. Pound, e testi di / and texts by F. Lorenzi, E. Fezzi, G.C. Argan, C. Bertelli, B. Passamani, M.L. Ardizzone, E. Crispolti, W. Schönenberger, E. Pontiggia, M. Vitta, M. Corradini, R. Bossaglia, Grafo, Brescia (edizione per gli amici di Franca Ghitti / edition for Franca Ghitti's friends).

1996
Ballata del Paradiso, con una poesia di / with a poem by A. Carrera, e un disegno originale

di / and an original drawing by F. Ghitti, Naquane, Milano-Val Camonica (edizione in 51 esemplari / print run of 51 copies).
J. Hoffmann, *Eine für den Tod des Waldes*, in "Süddeutsche Zeitung", Monaco di Baviera, n. 67, 20 marzo / March.
F. Lorenzi, *Boschi e cascate di Franca Ghitti*, in "Giornale di Brescia", 22 marzo / March.
F. Lorenzi, *I "luoghi" della Ghitti a New York*, in "Giornale di Brescia", 8 aprile / April.
L'omaggio a Brancusi della Ghitti è l'evento del mese a Monaco, in "Il Giorno", Milano, 14 aprile / April.
A. Sabatucci, *Sulle orme di Brancusi*, in "Bresciaoggi", 7 marzo / March.
A. Sabatucci, *Ghitti, Rosa e Masussi debuttano a Monaco*, in "Bresciaoggi", 12 aprile / April.
"Segno dell'acqua" in riva al Sebino, in "Il Giorno", Milano, 6 agosto / August.
Sculture e installazioni di Franca Ghitti, catalogo della mostra / exhibition catalog (Monaco di Baviera, Istituto Italiano di Cultura, 20 marzo / March - 9 aprile / April).

1997
G.M. Accame, *Scultura a Milano: due generazioni a confronto*, in "Coevit. Civitas litterarium", Mantova, Viadana.
M.L. Ardizzone, V. Scheiwiller (a cura di / edited by), *Franca Ghitti. Omaggio a Brancusi*, "Collana Arte Moderna Italiana" n. 113 a cura di / edited by V. Scheiwiller, All'insegna del pesce d'oro-Vanni Scheiwiller, Milano (edizione in 1100 copie, di cui le prime 100 numerate con allegata un'opera originale in rame di F. Ghitti / print run of 1,100 copies, the first 100 of which numbered and with an original copper work by F. Ghitti).
M.L. Ardizzone, *Le scritture e il "codice", 1997*, in M.L. Ardizzone, V. Scheiwiller (a cura di / edited by), *Franca Ghitti. Omaggio a Brancusi*, All'insegna del pesce d'oro-Vanni Scheiwiller, Milano, pp. 64-65.
G.C. Argan, *1980*, in M.L. Ardizzone, V. Scheiwiller (a cura di / edited by), *Franca Ghitti. Omaggio a Brancusi*, All'insegna del pesce d'oro-Vanni Scheiwiller, Milano, p. 57.
C. Bertelli, *1984*, in M.L. Ardizzone, V. Scheiwiller (a cura di / edited by), *Franca Ghitti. Omaggio a Brancusi*, All'insegna del pesce d'oro-Vanni Scheiwiller, Milano, p. 58.
R. Bossaglia, *1993*, in M.L. Ardizzone, V. Scheiwiller (a cura di / edited by), *Franca Ghitti. Omaggio a Brancusi*, All'insegna del pesce d'oro-Vanni Scheiwiller, Milano, pp. 60-61.
M. Corradini (a cura di / edited by), *Franca Ghitti. Il segno dell'acqua*, monografia pubblicata in occasione dell'inaugurazione dell'installazione *Il segno dell'acqua* / monograph published for the inauguration of the installation *The Sign of Water* (Iseo, Lido dei Platini, 29 giugno / June), Charta, Milano.
M. Corradini, *Il gesto e le cose. Sculture e installazioni di Franca Ghitti / Gesture and Things: Franca Ghitti's Sculptures and Installations*, in M. Corradini (a cura di / edited by), *Franca Ghitti. Il segno dell'acqua*, monografia pubblicata in occasione dell'inaugurazione dell'installazione *Il segno dell'acqua* / monograph published for the

inauguration of the installation *The Sign of Water* (Iseo, Lido dei Platini, 29 giugno / June), Charta, Milano, pp. 10-43.

M. de Rachewiltz, *Brunnenburg, 31 dicembre 1996*, in M.L. Ardizzone, V. Scheiwiller (a cura di / edited by), *Franca Ghitti. Omaggio a Brancusi*, All'insegna del pesce d'oro-Vanni Scheiwiller, Milano, p. 63.

F. Guerrini, *Dopo l'uomo di legno, omaggio della Ghitti ai tragitti di Brancusi*, in "America Oggi", New York, 17 aprile / April.

F. Lorenzi, *1995*, in M.L. Ardizzone, V. Scheiwiller (a cura di / edited by), *Franca Ghitti. Omaggio a Brancusi*, All'insegna del pesce d'oro-Vanni Scheiwiller, Milano, pp. 61-62.

B. Passamani, *1984*, in M.L. Ardizzone, V. Scheiwiller (a cura di / edited by), *Franca Ghitti. Omaggio a Brancusi*, All'insegna del pesce d'oro-Vanni Scheiwiller, Milano, p. 58.

E. Pontiggia, *Il Bosco, 1989*, in M.L. Ardizzone, V. Scheiwiller (a cura di / edited by), *Franca Ghitti. Omaggio a Brancusi*, All'insegna del pesce d'oro-Vanni Scheiwiller, Milano, pp. 69-70.

F. Tedeschi, *1996*, in M.L. Ardizzone, V. Scheiwiller (a cura di / edited by), *Franca Ghitti. Omaggio a Brancusi*, All'insegna del pesce d'oro-Vanni Scheiwiller, Milano, pp. 62-63.

M. Vitta, *La ricerca di Franca Ghitti, 1988*, in M.L. Ardizzone, V. Scheiwiller (a cura di / edited by), *Franca Ghitti. Omaggio a Brancusi*, All'insegna del pesce d'oro-Vanni Scheiwiller, Milano, pp. 58-59.

A. Zavaglia, *Per un museo territoriale della scultura*, in *Un intervento sul territorio: il percorso delle sculture*, Regione Lombardia-Comune di Provaglio d'Iseo, Brescia (numero speciale / special issue).

1998

M.C., *Grande tondo, il sole di San Polo*, in "Bresciaoggi", 2 aprile / April.

F. Guerrini, *La memoria dell'arte*, in "Magazine", 1 marzo / March.

F. Lorenzi, *Segni della memoria nella nuova S. Polo*, in "Giornale di Brescia", 5 aprile / April.

S. Nota, E. Toia, M. Vitali (a cura di / edited by), *Le stagioni della Navetta: dal premio Navetta d'oro alla Fiber art*, catalogo della mostra / exhibition catalog (Chieri, Sala della Conceria, 12 dicembre / December 1998 - 24 gennaio / January 1999), Tipografia AGIT, Beinasco.

2000

M. Corradini, *Nuovi alfabeti nella Grande Mela*, in "Bresciaoggi", 20 aprile / April.

M. Corradini, *Il mondo dietro un cancello*, in "Bresciaoggi", 2 novembre / November.

Ghitti. Cancelli d'Europa. Sculture e installazioni, catalogo della mostra / exhibition catalog (Castello di Sirmione, 15 settembre / September - 15 ottobre / October; Monaco di Baviera, Pasinger Fabrik, 28 settembre / September - 28 ottobre / October; Bilbao, fondazione Bilbao Bizkaia Kutxa, Aula de Cultura, 20 novembre / November - 20 dicembre / December).

F. Guerrini, *L'alfabeto della scultura*, in "America Oggi", New York, 16 maggio / May.

F. Lorenzi, *Gli altri alfabeti di Franca Ghitti*, in "Giornale di Brescia", 29 aprile / April.

I. Olabarri, *Ghitti eta Licataren artelanak dira Bilbon*, in "Egunkeria Cultura", Bilbao.

2001

12 vele per 12 mesi: sculture in ferro di Franca Ghitti, La Compagnia della Stampa-Massetti Rotella, Roccafranca.

M. Corradini, *La Rocca apre il suo "cancello"*, in "Bresciaoggi", 1 settembre / September.

M. Corradini, *Un nuovo alfabeto per il nuovo secolo*, in *Franca Ghitti, sculture e installazioni. Cancello per la Rocca di San Giorgio*, catalogo della mostra / exhibition catalog (Orzinuovi, Rocca di San Giorgio, 31 agosto / August - 30 settembre / September), pp. 7-10.

Franca Ghitti, sculture e installazioni. Cancello per la Rocca di San Giorgio, catalogo della mostra / exhibition catalog (Orzinuovi, Rocca di San Giorgio, 31 agosto / August - 30 settembre / September).

Franca Ghitti. Vele: sculture in ferro, Faber 1, La Compagnia della Stampa-Massetti Rotella, Roccafranca.

F. Lorenzi, *I Cancelli d'Europa di Franca Ghitti*, in *Franca Ghitti, sculture e installazioni. Cancello per la Rocca di San Giorgio*, catalogo della mostra / exhibition catalog (Orzinuovi, Rocca di San Giorgio, 31 agosto / August - 30 settembre / September), pp. 11-12.

W. Schönenberger, *Cancelli d'Europa di Franca Ghitti*, in *Franca Ghitti, sculture e installazioni. Cancello per la Rocca di San Giorgio*, catalogo della mostra / exhibition catalog (Orzinuovi, Rocca di San Giorgio, 31 agosto / August - 30 settembre / September), p. 15.

E. Zorn, *Le installazioni di Franca Ghitti*, in *Franca Ghitti, sculture e installazioni. Cancello per la Rocca di San Giorgio*, catalogo della mostra / exhibition catalog (Orzinuovi, Rocca di San Giorgio, 31 agosto / August - 30 settembre / September), pp. 13-14.

2002

Franca Ghitti Skulpturen und Bilder, pieghevole della mostra / exhibition leaflet (Vienna, Architehturbüro Tadeusz Spychala-Young Arts Gallery, giugno / June), con un testo di / with a text by F. Fonatti.

F. Lorenzi, *Nude strutture delle relazioni umane*, in "Giornale di Brescia", 13 giugno / June.

C. Paternostro, *Il prezioso lavorio su un "tessuto" di lamine, di lance e di lamiere*, in "L'Osservatore Romano", 31 gennaio / January.

R. Prina (a cura di / edited by), *Spalto San Marco: scultura nel parco*, catalogo della mostra / exhibition catalog (Comune di Brescia, parco pubblico Torri Gemelle, 23 giugno / June - 15 settembre / September).

R. Prina, *Coscienze del ferro*, in R. Prina (a cura di / edited by), *Spalto San Marco: scultura nel parco*, catalogo della mostra / exhibition catalog (Comune di Brescia, parco pubblico Torri Gemelle, 23 giugno / June - 15 settembre / September), pp. 9-21.

2003

Gli "Altri alfabeti" di Franca Ghitti, in "Gente Camuna", Breno, anno XLII, n. 10, ottobre / October, p. 5.

M.L. Ardizzone, *In viaggio con Calvino*, in "America Oggi", New York, 26 novembre / November 2003.

A. Carrera, *Gli afabeti perduti dell'homo faber*, in "Giornale di Brescia", 18 agosto / August, p. 13.

C. Cerritelli (a cura di / edited by), *Ghitti. Altri Alfabeti / Other Alphabets*, catalogo della mostra / exhibition catalog (Teglio, Palazzo Besta, 2 agosto / August - 30 ottobre / October), Charta, Milano.

C. Cerritelli, *Altri Alfabeti, infinite persistenze della materia / Other Alphabets, Infinite Continuities of Matter*, in C. Cerritelli (a cura di / edited by), *Ghitti. Altri Alfabeti / Other Alphabets*, catalogo della mostra / exhibition catalog (Teglio, Palazzo Besta, 2 agosto / August - 30 ottobre / October), Charta, Milano, pp. 11-21.

M. Corradini, *Gli Altri Alfabeti di un'antica lingua*, in "Bresciaoggi", 9 agosto / August, p. 38.

Exhibition of Works by Sculptor Franca Ghitti, in "Indepth Arts News" absolutearts.com, 18 novembre / November (http://www.absolutearts.com/artsnews/2003/11/19/31554.html).

Franca Ghitti, in "Inside altre notizie", Brescia, n. 3, marzo / March, p. 50.

Franca Ghitti, in "Inside altre notizie", Brescia, anno 1, n. 3, ottobre / October 2003 - gennaio / January 2004, p. 50.

G. Garbellini, *Diversità a contatto*, in "La Provincia", Sondrio, 2 agosto / August, p. 29.

F. Ghitti, *Altri Alfabeti / Other Alphabets*, in C. Cerritelli (a cura di / edited by), *Ghitti. Altri Alfabeti / Other Alphabets*, catalogo della mostra / exhibition catalog (Teglio, Palazzo Besta, 2 agosto / August - 30 ottobre / October), Charta, Milano, pp. 22-25.

F. Ghitti, *Dal Quaderno di lavoro / From the Workbook*, in C. Cerritelli (a cura di / edited by), *Ghitti. Altri Alfabeti / Other Alphabets*, catalogo della mostra / exhibition catalog (Teglio, Palazzo Besta, 2 agosto / August - 30 ottobre / October), Charta, Milano, pp. 27-32.

F. Ghitti, *"Nella scultura riporto i segni di una lingua perduta"*, in "La Provincia", Sondrio, 2 agosto / August, p. 29.

S. Grasso, *Legno, chiodi, catene: gli "altri alfabeti" di Franca Ghitti*, in "Corriere della Sera", Milano, 27 agosto / August, p. 31.

F. Lorenzi, *Una cascata di ferro: macchine per pensare e sognare*, in "Giornale di Brescia", 3 gennaio / January.

F.L., *La Valtellina legge gli "Altri Alfabeti" di Franca Ghitti*, in "Giornale di Brescia", 2 agosto / August, p. 29.

F. Lor. [F. Lorenzi], *Franca Ghitti in viaggio col Viandante invisibile*, in "Giornale di Brescia", 27 novembre / November, p. 31.

G. Monizza, *Franca Ghitti parla con "Altri Alfabeti"*, in "La Provincia", Sondrio, 2 agosto / August, p. 29.

Una passione nata nella segheria di famiglia, in "La Provincia", Sondrio, 2 agosto / August, p. 29.

2004

N.A., *Maps / Mapping di Franca Ghitti presentato alla Zerilli Marimò*, in "Oggi 7 magazine", Milano, 31 ottobre / October, p. 8.

M.L. Ardizzone, *In viaggio con Calvino*, in "America Oggi", New York, 26 novembre / November, p. 22.

C. Cerritelli (a cura di / edited by), *Maps / Mapping. Sculptures and Installations by Franca Ghitti*, catalogo della mostra / exhibition catalog (New York, The Cooper Union for the Advancement of Science and Art-Great Hall Gallery, 18 novembre / November - 12 dicembre / December), Charta, Milano.

C. Cerritelli, *Nel segno delle mappe. Sculture e installazioni di Franca Ghitti, 1965-2004 / In the Traces of Maps. Sculptures and Installations by Franca Ghitti, 1965-2004*, in C. Cerritelli (a cura di / edited by), *Maps / Mapping. Sculptures and Installations by Franca Ghitti*, catalogo della mostra / exhibition catalog (New York, The Cooper Union for the Advancement of Science and Art-Great Hall Gallery, 18 novembre / November - 12 dicembre / December), Charta, Milano, pp. 8-15.

Creatività e manualità: Franca Ghitti e il ferro dei cancelli d'Europa, in "Giornale di Brescia", 28 maggio / May, p. 19.

F.C., *Teglio: Franca Ghitti in Palazzo Besta*, in "Eco d'arte moderna", Firenze, n. 145, 1/2 gennaio-febbraio / January-February.

F. Fonatti, *L'impronta del tempo / The Imprint of Time*, in C. Cerritelli (a cura di / edited by), *Maps / Mapping. Sculptures and Installations by Franca Ghitti*, catalogo della mostra / exhibition catalog (New York, The Cooper Union for the Advancement of Science and Art-Great Hall Gallery, 18 novembre / November - 12 dicembre / December), Charta, Milano, pp. 18-21.

F. Ghitti, *Mappe / Maps*, in C. Cerritelli (a cura di / edited by), *Maps / Mapping. Sculptures and Installations by Franca Ghitti*, catalogo della mostra / exhibition catalog (New York, The Cooper Union for the Advancement of Science and Art-Great Hall Gallery, 18 novembre / November - 12 dicembre / December), Charta, Milano, pp. 26-29.

F. Lorenzi, *Mappe di luoghi come impronte del vissuto / Maps of Places as Impressions of Experiences*, in C. Cerritelli (a cura di / edited by), *Maps / Mapping. Sculptures and Installations by Franca Ghitti*, catalogo della mostra / exhibition catalog (New York, The Cooper Union for the Advancement of Science and Art-Great Hall Gallery, 18 novembre / November - 12 dicembre / December), Charta, Milano, pp. 22-25.

F.L., *I tondi di Franca Ghitti esposti a New York*, in "Giornale di Brescia", 2 novembre / November, p. 16.

M. Morton, *Viaggio nello studio di Franca Ghitti / A Journey to the Studio of Franca Ghitti*, in C. Cerritelli (a cura di / edited by), *Maps / Mapping. Sculptures and Installations by Franca Ghitti*, catalogo della mostra / exhibition catalog (New York, The Cooper Union for the Advancement of Science and Art-Great Hall Gallery,

18 novembre / November - 12 dicembre / December), Charta, Milano, pp. 16-17.
Presentazione della scultura "Cancelli d'Europa-Memoria del ferro", in "Brescia Artigiana Magazine", anno III, n. 2, giugno / June, p. 13.
Tondi. Sculptures by Franca Ghitti, catalogo della mostra / exhibition catalog (New York, OK Harris Gallery, 23 ottobre / October - 27 novembre / November), con un testo di / with a text by W. Schönenberger.

2005
Altri alfabeti di Franca Ghitti, in "Giornale di Brescia", 26 aprile / April, p. 8.
Alfabeti di Franca Ghitti, in "Corriere della Sera", Milano, 29 aprile / April, p. 57.
Altri alfabeti, sculture e installazioni di Franca Ghitti, catalogo della mostra / exhibition catalog (Milano, Museo Diocesano, 29 aprile / April - 26 giugno / June), con testi di / with texts by P. Biscottini, C. Cerritelli, E. Pontiggia, F. Lorenzi.
Gli "altri alfabeti" di Franca Ghitti, in "L'Osservatore Romano", 11 giugno / June, p. 3.
M.L. Ardizzone, *A proposito degli "Altri alfabeti" di Franca* Ghitti, in "Giornale di Brescia", 16 giugno / June, p. 34.
S. dell'Orso, *Spirito e materia negli antichi chiostri*, in "la Repubblica", Milano, 7 maggio / May, p. 17.
Ghitti: scultura e installazioni, in "Museo Diocesano News", Milano, n. 5, primavera-estate / Spring-Summer, s. p.
E. Gilberti, *Scavi e sculture. I contatti di materia di Franca Ghitti*, in "Il Giornale", Milano, 29 aprile / April, p. 49.
E. Gi., *L'arte dei segni di Franca Ghitti. Offerta un'opera, ospitata nella sala consiliare della Comunità*, in "Bresciaoggi", 24 maggio / May, p. 21.
F. Lorenzi, *Alfabeti ritrovati indispensabili alla sopravvivenza*, in "Giornale di Brescia", 27 aprile / April, p. 37.
F. Lor., *Una "Vicinia" di Franca Ghitti per la Comunità montana*, in "Giornale di Brescia", 20 maggio / May, p. 22.
E. Miriani, *Un cuore tutto nuovo per Rudiano. Rifatta la pavimentazione, via le barriere architettoniche, una fontana-scultura*, in "Giornale di Brescia", 20 maggio / May, p. 18.

2006
L'artista camuna Franca Ghitti ci propone un progetto espositivo: Cancelli d'Europa "sculture e installazioni", in "Giornale della Valcamonica", Brescia, 13 maggio / May.
P. Biscottini, *Paesaggi inediti per la scultura, Installazioni 1970-1980*, in C. De Carli (a cura di / edited by), *Ghitti. Memoria del ferro / Iron Memory. Sculture e installazioni / Sculptures and installations*, catalogo della mostra / exhibition catalog (Brescia, Università Cattolica, aprile-maggio / April-May; Milano, Politecnico, dipartimento di Progettazione dell'Architettura / Milan Polytechnic, Architectural Design Department, maggio / May; Brescia, Gruppo Industriale Lucefin, giugno-settembre / June-September;

Texas, Gerald D. Hines College of Architecture, University of Houston, ottobre / October), Edizioni Gabriele Mazzotta, Milano, pp. 13-14.
Cancelli d'Europa. Sculture e installazioni, pieghevole della mostra / exhibition leaflet (Brescia, Università Cattolica del Sacro Cuore, facoltà di Scienze della Formazione, sala Chizzolini e cortile antistante / and its courtyard, 19 aprile / April - 10 maggio / May), con un testo di / with a text by M. Vallotti.
Cancelli d'Europa. Sculture e installazioni, pieghevole della mostra / exhibition leaflet (Milano, Politecnico, dipartimento di Progettazione dell'Architettura, aula mostre campus Bovisa / Milan Polytechnic, Architectural Design Department, exhibitions space campus Bovisa, 8-26 maggio / May), con un testo di / with a text by M. Fortis.
A. Carrera, *Porte del tempo, Cancelli d'Europa*, in C. De Carli (a cura di / edited by), *Ghitti. Memoria del ferro / Iron Memory. Sculture e installazioni / Sculptures and installations*, catalogo della mostra / exhibition catalog (Brescia, Università Cattolica, aprile-maggio / April-May; Milano, Politecnico, dipartimento di Progettazione dell'Architettura / Milan Polytechnic Architectural Design Department, maggio / May; Brescia, Gruppo Industriale Lucefin, giugno-settembre / June-September; Texas, Gerald D. Hines College of Architecture, University of Houston, ottobre / October), Edizioni Gabriele Mazzotta, Milano, pp. 69-74.
C. De Carli (a cura di / edited by), *Ghitti. Memoria del ferro / Iron Memory. Sculture e installazioni / Sculptures and installations*, catalogo della mostra / exhibition catalog (Brescia, Università Cattolica, aprile-maggio / April-May; Milano, Politecnico, dipartimento di Progettazione dell'Architettura / Milan Polytechnic, Architectural Design Department, maggio / May; Brescia, Gruppo Industriale Lucefin, giugno-settembre / June-September; Texas, Gerald D. Hines College of Architecture, University of Houston, ottobre / October), Edizioni Gabriele Mazzotta, Milano.
C. De Carli, *Cancelli d'Europa*, in C. De Carli (a cura di / edited by), *Ghitti. Memoria del ferro / Iron Memory. Sculture e installazioni / Sculptures and installations*, catalogo della mostra / exhibition catalog (Brescia, Università Cattolica, aprile-maggio / April-May; Milano, Politecnico, dipartimento di Progettazione dell'Architettura / Milan Polytechnic Architectural Design Department, maggio / May; Brescia, Gruppo Industriale Lucefin, giugno-settembre / June-September; Texas, Gerald D. Hines College of Architecture, University of Houston, ottobre / October), Edizioni Gabriele Mazzotta, Milano, pp. 29-33.
F. De Leonardis, *I confini dei Cancelli d'Europa*, in "Bresciaoggi", 15 aprile / April.
F. De Leonardis, *I "cancelli" americani*, in "Bresciaoggi", 12 ottobre / October, p. 38.
F. De Leonardis, *I cancelli americani*, in "Giornale di Brescia", 19 ottobre / October.
L'Europa passa attraverso i Cancelli della Cattolica, in "Giornale di Brescia", 19 aprile / April.
M. Fortis, *Materia e Forma, Cancelli d'Europa*, in C. De Carli (a cura di / edited by), *Ghitti.*

Memoria del ferro / Iron Memory. Sculture e installazioni / Sculptures and installations, catalogo della mostra / exhibition catalog (Brescia, Università Cattolica, aprile-maggio / April-May; Milano, Politecnico, dipartimento di Progettazione dell'Architettura / Milan Polytechnic, Architectural Design Department, maggio / May; Brescia, Gruppo Industriale Lucefin, giugno-settembre / June-September; Texas, Gerald D. Hines College of Architecture, University of Houston, ottobre / October), Edizioni Gabriele Mazzotta, Milano, pp. 53-62.
Gates of Europe, pieghevole della mostra / exhibition leaflet (Texas, University of Houston, ottobre / October), con un testo di / with a text by A. Carrera.
F. Ghitti, *Dal quaderno di lavoro di Franca Ghitti*, in C. De Carli (a cura di / edited by), *Ghitti. Memoria del ferro / Iron Memory. Sculture e installazioni / Sculptures and installations*, catalogo della mostra / exhibition catalog (Brescia, Università Cattolica, aprile-maggio / April-May; Milano, Politecnico, dipartimento di Progettazione dell'Architettura / Milan Polytechnic, Architectural Design Department, maggio / May; Brescia, Gruppo Industriale Lucefin, giugno-settembre / June-September; Texas, Gerald D. Hines College of Architecture, University of Houston, ottobre / October), Edizioni Gabriele Mazzotta, Milano, pp. 101-105.
Ghitti. Memoria del ferro / Iron Memory, regia e riprese di / directed and filmed by D. Bassanesi, Officine Video, Darfo Boario Terme.
F. Lorenzi, *Memoria del Ferro, Installazioni*, in C. De Carli (a cura di / edited by), *Ghitti. Memoria del ferro / Iron Memory. Sculture e installazioni / Sculptures and installations*, catalogo della mostra / exhibition catalog (Brescia, Università Cattolica, aprile-maggio / April-May; Milano, Politecnico, dipartimento di Progettazione dell'Architettura / Milan Polytechnic, Architectural Design Department, maggio / May; Brescia, Gruppo Industriale Lucefin, giugno-settembre / June-September; Texas, Gerald D. Hines College of Architecture, University of Houston, ottobre / October), Edizioni Gabriele Mazzotta, Milano, pp. 81-82.
F.Lor. [F. Lorenzi], *Voci di ferro ai cancelli d'Europa*, in "Giornale di Brescia", 18 aprile / April, p. 24.
F.Lor. [F. Lorenzi], *Ghitti, memoria del ferro e del petrolio*, in "Giornale di Brescia", 18 ottobre / October, p. 39.
F. Lorenzi, *La memoria del ferro*, in "Giornale di Brescia", 20 dicembre / December.
Le opere di Franca Ghitti alla Cattolica di Brescia, in "in Città", 20 aprile / April, p. 11.
M. Pernis, *I cancelli d'Europa, in mostra il tema del passaggio*, Brescia, 13 aprile / April.
Scrivere degli artisti: la donazione Luigi e Maria Pia Lambertini, con un'introduzione di / with a foreword by L. Lambertini, Edizioni della Cometa, Roma.
L. St., *Franca Ghitti espone al Politecnico*, in "Giornale di Brescia", 12 maggio / May, p. 26.
M. Valotti, *Franca Ghitti in Università, Cancelli d'Europa*, in C. De Carli (a cura di / edited by), *Ghitti. Memoria del ferro / Iron Memory. Sculture e installazioni / Sculptures and*

installations, catalogo della mostra / exhibition catalog (Brescia, Università Cattolica, aprile-maggio / April-May; Milano, Politecnico, dipartimento di Progettazione dell'Architettura / Milan Polytechnic, Architectural Design Department, maggio / May; Brescia, Gruppo Industriale Lucefin, giugno-settembre / June-September; Texas, Gerald D. Hines College of Architecture, University of Houston, ottobre / October), Edizioni Gabriele Mazzotta, Milano, pp. 39-46.

2007
M. Biglia, *Ferro, legno e corde per installazioni di grande potenza evocativa*, in "Il Giorno", Milano, 9 giugno / June, p. 9.
P.C., *Un libro e un dvd per raccontare Franca Ghitti*, in "Il Giorno", Bergamo-Brescia, 9 maggio / May.
M. Colombi, *Franca Ghitti a Lovere*, in "Meridiano", 19 giugno / June, p. 2.
M. Corradini (a cura di / edited by), *Artisti bresciani. Il secondo dopoguerra: la linea astrattista*, catalogo della mostra / exhibition catalog (Chiari, Villa Mazzotti, 15 settembre / September - 21 ottobre / October).
M. Corradini, *Franca Ghitti, un alfabeto per ridare memoria al ferro*, in "Bresciaoggi", 2 agosto / August, p. 47.
S. Culurgioni, *Franca Ghitti e il viaggio tra i luoghi della mente*, in "Il Giornale", Milano, 7 luglio / July, p. 52.
F.D.L. [F. De Leonardis], *Presentato ieri nel salone Vanvitelliano di palazzo Loggia il libro "Iron Memory", che illustra l'opera e il sentire della scultrice bresciana*, in "Bresciaoggi", 10 maggio / May, p. 39.
E. Fontana (a cura di / edited by), *I Colori della Valle. Antologia degli artisti camuni*, catalogo della mostra / exhibition catalog (Breno, chiesa di Sant'Antonio / church of St. Anthony, 4-14 ottobre / October).
Franca Ghitti. Percorsi, in "lombardiacultura.it", giugno / June.
Franca Ghitti. "Percorsi. Sculture e installazioni", in "Brescia Mensile della Città", n. 31, anno 4, luglio / July, p. 4.
A. Frattini, *Tra piazza e lago l'età del ferro riscalda l'estate*, in "L'Eco di Bergamo", 7 luglio / July, p. 57.
F. Ghitti, *Radice vitale nella terra dei camuni*, in *Battista, cercatore di graffiti*, Tipografia La Cittadina, Gianico, p. 20.
F. Lorenzi, *Le "geografie umane" nelle sculture di Franca Ghitti*, in "Giornale di Brescia", 8 maggio / May, p. 31.
F.L., *Il ferro di Ghitti in Triennale*, in "Giornale di Brescia", 21 giugno / June.
M. Mattiussi, *Una Signora dell'arte, fatta di ricerca e di contatto coi materiali, per un dialogo fra passato, presente e futuro*, intervista a / interview to F. Ghitti in "Milanodabere.it", 27 giugno / June (http://www.milanodabere.it/news/interviste/franca_ghitti_5442.html).
Percorsi. Sculture e installazioni Ghitti, pieghevole della mostra / exhibition leaflet (Lovere, Accademia di Belle Arti Tadini, Atelier del Tadini, Giardini Marinai d'Italia, piazza XIII Martiri, 8 luglio / July - 9 settembre / September), con testi di / with texts by M. Albertario, M. Valotti.

P. Petraroia, La "memoria del ferro" emerge dalle ceneri della combustione, in "L'Osservatore Romano", 18-19 maggio / May, p. 3.
S. Val., Sabato prossimo a Capo di Ponte, in "Giornale di Brescia", 8 maggio / May, p. 19.

2008
Ghitti. La città e la sua impronta. Sculture e installazioni, catalogo della mostra / exhibition catalog (Castello di Brescia, 25 settembre / September - 23 novembre / November 2008; Parigi, École Nationale Supérieure d'Architecture de Paris La Villette, 5-20 ottobre / October 2009), con testi di / with texts by F. Lorenzi, J. P. Albertani, Tipografia Camuna, Brescia.
F. Lorenzi, Tempo del ferro-Franca Ghitti, in "vallecamonicacultura.it", Breno, 15 luglio / July (http://www.vallecamonicacultura.it/notizia.php?newsid=1361).
F. Lorenzi, Tempo del ferro. Franca Ghitti espone a Pisogne i "Cancelli", in "Giornale della Valcamonica", Brescia, anno XXII, n. 7, 20 luglio / July, p. 15.
Tempo del ferro_Ghitti. Una scultura per il progetto del lungolago di Pisogne, catalogo della mostra / exhibition catalog (Comune di Pisogne, 19 luglio / July - 5 agosto / August), con un testo di / with a text by F. Lorenzi, Stampa Secograf, Milano.

2009
F. Acuto, Chemins entre les lieux et sujets / Percorsi tra luoghi e materie, in Ghitti. La ville et son empreinte. Sculptures et installations, catalogo della mostra / exhibition catalog (Parigi, École nationale Supérieure d'Architecture de Paris La Villette, 5-20 ottobre / October), Stampa Color Art, Brescia, p. 70.
J.P. Albertani, La ville et son empreinte / La città e la sua impronta, in Ghitti. La ville et son empreinte. Sculptures et installations, catalogo della mostra / exhibition catalog (Parigi, École Nationale Supérieure d'Architecture de Paris La Villette, 5-20 ottobre / October), Stampa Color Art, Brescia, pp. 6-12.
G. Azzoni, Forme del fare. La scultura in legno di Franca Ghitti in Valle Camonica, in "Itinera. Rivista della Comunità Montana di Valle Camonica", Breno, n. 8, febbraio / February.
M.A. Crippa, Seuils, pour espaces et temps / Soglie, per spazi e tempi, in Ghitti. La ville et son empreinte. Sculptures et installations, catalogo della mostra / exhibition catalog (Parigi, École Nationale Supérieure d'Architecture de Paris La Villette, 5-20 ottobre / October), Stampa Color Art, Brescia, pp. 16-25.
Ghitti. La ville et son empreinte. Sculptures et installations, catalogo della mostra / exhibition catalog (Parigi, École Nationale Supérieure d'Architecture de Paris La Villette, 5-20 ottobre / October), con testi di / with texts by J.P. Albertani, M.A. Crippa, F. Lorenzi, P. Pietraroia, E. Pontiggia, M. Sabatini, F. Acuto, Stampa Color Art, Brescia.
Ghitti. La ville et son empreinte. Sculptures et installations, catalogo della mostra / exhibition catalog (Parigi, École Nationale Supérieure d'Architecture de Paris La Villette, 5-29

ottobre / October), con testi di / with texts by S. Sartori, F. Lorenzi, Collana "Faber", Naquane, Milano-Val Camonica (edizione fuori commercio stampata in 300 esemplari per gli amici di Franca Ghitti / not for sale edition of 300 copies for Franca Ghitti's friends).
F. Lorenzi, La ville et son empreinte: temps frappé et temps levé / La città e la sua impronta: il battere e il levare del tempo, in Ghitti. La ville et son empreinte. Sculptures et installations, catalogo della mostra / exhibition catalog (Parigi, École Nationale Supérieure d'Architecture de Paris La Villette, 5-20 ottobre / October), Stampa Color Art, Brescia, pp. 26-40.
G.P., La città si trasforma Orme come paesaggi, in "Corriere della Sera", Milano, Brescia, 4 ottobre / October, p. 33.
P. Petraroia, Le fer léger: Franca Ghitti / Il ferro lieve: Franca Ghitti, in Ghitti. La ville et son empreinte. Sculptures et installations, catalogo della mostra / exhibition catalog (Parigi, École Nationale Supérieure d'Architecture de Paris La Villette, 5-20 ottobre / October), Stampa Color Art, Brescia, pp. 42-50.
E. Pontiggia, Le bois / Il bosco, in Ghitti. La ville et son empreinte. Sculptures et installations, catalogo della mostra / exhibition catalog (Parigi, École Nationale Supérieure d'Architecture de Paris La Villette, 5-20 ottobre / October), Stampa Color Art, Brescia, pp. 52-59.
M. Sabatini, Langages lointains. Les installations et le sculptures de Franca Ghitti / Linguaggi remoti. Le installazioni e sculture di Franca Ghitti, in Ghitti. La ville et son empreinte. Sculptures et installations, catalogo della mostra / exhibition catalog (Parigi, École Nationale Supérieure d'Architecture de Paris La Villette, 5-20 ottobre / October), Stampa Color Art, Brescia, pp. 60-68.

2010
M.L. Ardizzone, Il numero e il gesto / The Number and the Gesture, in Ghitti. La grammatica dei chiodi / The Grammar of Nails. Opere / Works 1963-2010, OK Harris Works of Art, New York, pp. 24-28.
T. Bino, Franca Ghitti. Lavori in corso / Works in Progress, in Ghitti. La grammatica dei chiodi / The Grammar of Nails. Opere / Works 1963-2010, OK Harris Works of Art, New York, p. 46.
A. Carrera, Franca Ghitti: scrivere con i chiodi / Nailing the Page, in Ghitti. La grammatica dei chiodi / The Grammar of Nails. Opere / Works 1963-2010, OK Harris Works of Art, New York, pp. 8-23.
F. De Leonardis, Pagine chiodate. Lo spazio della metafora / Nailed Pages. The Space of Metaphor, in Ghitti. La grammatica dei chiodi / The Grammar of Nails. Opere / Works 1963-2010, OK Harris Works of Art, New York, pp. 46-47.
Ghitti. La grammatica dei chiodi / The Grammar of Nails. Opere / Works 1963-2010, con testi di / with texts by A. Carrera, M.L. Ardizzone, E. Pontiggia, W. Klein, F. Lorenzi, T. Bino, F. De Leonardis, OK Harris Works of Art, New York (volume ideato in occasione della mostra tenuta a New York nel 2008,

continuamente rielaborato, fino alla stesura finale del 2010 / book conceived on the occasion of the New York 2008 exhibition, then continually reworked until the final 2010 version).
F. Ghitti, Dal quaderno di lavoro di Franca Ghitti / From Franca Ghitti's Work Book, in Ghitti. La grammatica dei chiodi / The Grammar of Nails. Opere / Works 1963-2010, OK Harris Works of Art, New York, p. 47.
W. Klein, Una prospettiva naïve su i chiodi di Franca da parte di un ex carpentiere / A Naïve Appreciation of Franca's Nails, by a Former Carpenter, in Ghitti. La grammatica dei chiodi / The Grammar of Nails. Opere / Works 1963-2010, OK Harris Works of Art, New York, pp. 34-38.
F. Lorenzi, Chiodi / Nails, in Ghitti. La grammatica dei chiodi / The Grammar of Nails. Opere / Works 1963-2010, OK Harris Works of Art, New York, pp. 40-43.
F. Lorenzi, Fondazione Cariplo e Distretto camuno lanciano in valle "Aperto2010", in "Giornale di Brescia", 20 maggio / May, p. 45.
E. Pontiggia, Tra segno e oggetto / Between Sign and Object, in Ghitti. La grammatica dei chiodi / The Grammar of Nails. Opere / Works 1963-2010, OK Harris Works of Art, New York, pp. 30-32.
G. Spatola, Bienno celebra i suoi fabbri "Una storia scritta nel ferro", in "Corriere della Sera", Milano, 30 maggio / May, p. 12.
Ultima Cena, regia di / directed by D. Bassanesi, Officine Video, Darfo Boario Terme.

2011
A. Carrera (a cura di / edited by), Annali d'Italianistica. Italian Critical Theory, The University of North Carolina at Chapel Hill, vol. 29 (in copertina / cover: Franca Ghitti, Cancelli d'Europa / Gates of Europe, facoltà di Architettura, Politecnico di Milano, 2006; in quarta di copertina / back cover: Franca Ghitti, Meridiana e albero ferito / Meridian and Woundend Tree, facoltà di Architettura, Politecnico di Milano, 2006, foto / photo by Fabio Cattabiani).
Franca Ghitti. Creare e lavorare, regia, immagini e montaggio di / directed and editing by D. Bassanesi, Officine Video, Darfo Boario Terme (https://www.youtube.com/watch?v=nnwyzlHQOBc).
Franca Ghitti. Intervista alla scultrice, regia, immagini e montaggio di / directed and editing by D. Bassanesi, Officine Video, Darfo Boario Terme (https://www.youtube.com/watch?v=wI3noCfj8ho).
Franca Ghitti. Introduzione, regia, immagini e montaggio di / directed and editing by D. Bassanesi, Officine Video, Darfo Boario Terme (https://www.youtube.com/watch?v=nsUbUj1y65c).
Franca Ghitti. Lucefin 2006, regia, immagini e montaggio di / directed and editing by D. Bassanesi, Officine Video, Darfo Boario Terme (https://www.youtube.com/watch?v=agYHPuXbqUU).
Franca Ghitti. Opere e lavoro, regia, immagini e montaggio di / directed and editing by D. Bassanesi, Officine Video, Darfo Boario Terme (https://www.youtube.com/watch?v=k7YTT9cO8eE).

Franca Ghitti. Università Cattolica del Sacro Cuore, regia, immagini e montaggio di / directed and editing by D. Bassanesi, Officine Video, Darfo Boario Terme (https://www.youtube.com/watch?v=-WDufKFwD_U).
Ghitti Ultima Cena. Installazione, pieghevole della mostra / exhibition leaflet (Milano, basilica di Sant'Ambrogio, 21 aprile / April - 6 maggio / May), con un testo di / with a text by F.L. [F. Lorenzi].
S. Malosso, Ghitti: la grammatica dei chiodi, in "vallecamonicacultura.it", Breno, 8 marzo / March (http://www.vallecamonicacultura.it/notizia.php?newsid=42838).
RadioVera, Opere di Franca Ghitti al Barone Pizzini, video della mostra e intervista a / exhibition video and interview to F. Ghitti, Brescia, 24 settembre / September (http://www.radiovera.net/it/video/2/150/Opere-di-Franca-Ghitti-al-Barone-Pizzini.html).
V. Romeo, Ultima Cena Installazione, in "vallecamonicacultura.it", Breno, 19 aprile / April (http://www.vallecamonicacultura.it/notizia.php?newsid=47489).

2012
A Celebration of Franca Ghitti's Life and Work, introduzione di / introduction by S. Albertini (New York University, NY), con / with J. Freccero (New York University, NY), W. Klein (New York University, NY), M. Morton (The Cooper Union, NY), Casa Zerrilli-Morimò, New York, 14 novembre / November (http://www.casaitaliananyu.org/content/a-celebration-franca-ghittis-life-and-work-2012).
Gio. Ca., "Mappe" ancestrali per ritrovare il ritmo della terra. L'arte di Franca Ghitti, dall'ispirazione dei "pitoti" alle grandi mostre internazionali, in "Giornale di Brescia", anno 67, n. 99, 10 aprile / April, p. 49.
G. Capretti, Un'artista all'ascolto paziente della materia, in "Giornale di Brescia", anno 67, n. 99, 10 aprile / April, p. 49.
G. Capretti, Franca Ghitti, forgiatrice di uomini nel senso sacro della "vicinia", in "Giornale di Brescia", 10 maggio / May, p. 52.
M. Corradini, Con semplici materiali quotidiani ha fatto lievitare il gesto poetico, in "Bresciaoggi", 10 aprile / April, p. 39.
Dall'antico al contemporaneo, in "Valle Camonica La Valle dei Segni", Tipografia Mediavalle, Boario Terme, pp. 24-26.
F. De Leonardis, Franca Ghitti, chiodi arrugginiti oltre il dolore, oltre alla morte, in "Bresciaoggi", 8 maggio / May, p. 47.
E. Flocchini, Franca Ghitti. Addio all'artista amata dai giovani, in "Bresciaoggi", 10 aprile / April, p. 39.
Franca Ghitti. Ultima Cena. Un'installazione, installazione realizzata per la prima volta nella chiesetta di San Gottardo, Erbanno (giugno-settembre 2010), in seguito in versioni modificate nell'Antiquum Oratorium Passionis, Sant'Ambrogio, Milano (aprile-maggio 2011) e al Museo Diocesano di Brescia (maggio-luglio 2011) / installed for the first time in the small church of San Gottardo, Erbanno (June-September 2010), then, in reworked variants, in the Antiquum Oratorium Passionis, Sant'Ambrogio, Milan

(April-May 2011), and in Diocesan Museum, Brescia (maggio-luglio / May-July 2011); con testi di / with texts by A. Crippa, F. Lorenzi, F. De Leonardis, e una poesia di / and a poem by S. Boccardi, Naquane, Brescia (edizione fuori commercio progettata dall'artista, stampata in pochi esemplari per gli amici di Franca Ghitti, a due mesi dalla sua scomparsa / not for sale edition designed by the artist, printed in few copies for Franca Ghitti's friends two months after her passing away).

F. Lorenzi, Con i materiali di scarto ha costruito macchine per pensare "Idee sculpite in emozioni fisiche", in "Corriere della Sera", Brescia, 10 aprile / April, p. 9.

F. Lorenzi, Franca Ghitti, la storia umana scritta nel ferro e nel legno, in "AB Atlante Bresciano", n. 11, estate, pp. 62-64.

M. Minini, Era partita dalla preistoria per tentare di costruire un mito, in "Corriere della Sera", Brescia, 10 aprile / April, p. 9.

M. Morton, "Io, newyorkese stregata da Franca". La fotografa Margaret Morton ricorda la Ghitti, in "Corriere della Sera", Brescia, 28 ottobre / October, p. 9.

New York celebra l'arte del ferro di Franca Ghitti, in "Giornale di Brescia", 20 ottobre / October, p. 49.

A. Troncana, Amica di Calvino e Argan, ha esposto in tutto il mondo. Addio, Franca scultrice di ferro legno e fatica, in "Corriere della Sera", Brescia, 10 aprile / April, p. 9.

La valle dei segni arte - parte 2, documentario, conduce / documentary, conducted by E. Gianni, in "Teleboario", Darfo Boario Terme, 1 gennaio / January (http://www.teleboario.it/video-programmi/la-valle-dei-segni-2/la-valle-dei-segni-arte-2/?vid=1).

T. Zana, Artigianato e arte nascosta nel battito del fabbro, in "Giornale di Brescia", 10 maggio / May, p. 52.

M. Zanolli, Quell'intervista finita con i versi di una poesia, in "Corriere della Sera", Brescia, 10 aprile / April, p. 9.

2013

Il 21 al Museo Diocesano. Omaggio all'artista per la donazione dell'Ultima Cena, in "Giornale di Brescia", 13 marzo / March, p. 44.

A. Alberti, Ritorno al Castello di Sirmione, in R. Gentile (a cura di / edited by), Franca Ghitti. Le vie dell'acqua. Trenta sculture e installazioni, catalogo della mostra / exhibition catalog (Sirmione, Castello Scaligero, 30 giugno / June - 26 settembre / September), Tipografia ColorArt, Rodengo Saiano, pp. 7-14.

A. Arcai, L'ex Assessore. Quelle due ore con Franca Ghitti il ricordo più bello, in "Giornale di Brescia", 13 giugno / June, p. 55.

M.L. Ardizzone, Le vie dell'acqua di Franca Ghitti, in R. Gentile (a cura di / edited by), Franca Ghitti. Le vie dell'acqua. Trenta sculture e installazioni, catalogo della mostra / exhibition catalog (Sirmione, Castello Scaligero, 30 giugno / June - 26 settembre / September), Tipografia ColorArt, Rodengo Saiano, pp. 71-72.

C. Baroni, Delle sculture di Franca Ghitti restano solo scheletri deturpati, in "Giornale di Brescia", 18 luglio / July, p. 13.

T. Bino, Una passeggiata camuna in onore di Franca, in "Corriere della Sera", Brescia, 13 luglio / July, p. 11.

Gio. Ca., Franca Ghitti la sapienza del fare in pagine visionarie, intervista a / interview to E. Pontiggia, in "Giornale di Brescia", 29 marzo / March, p. 50.

G. Capretti, Franca Ghitti, nel pane e nel lavoro il senso spirituale della comunità, in "Giornale di Brescia", 22 marzo / March, p. 51.

G. Capretti, Franca Ghitti, forme d'acqua in bagliori di ferro, in "Giornale di Brescia", 9 luglio / July, p. 39.

Chiesa di Sant'Antonio Abate con vetrate istoriate su disegno di Franca Ghitti, in "Montagne & Paesi", Bergamo, anno XVII, n. 10, ottobre / October, p. 11.

F. De Leonardis, "Ultima cena", l'omaggio alla grande arte di Franca Ghitti, in "Bresciaoggi", 21 marzo / March, p. 47.

F. De Leonardis, Franca Ghitti, l'arte che nasce sulla forza naturale dell'acqua, in "Bresciaoggi", 29 giugno / June, p. 46.

Due opere di Franca Ghitti donate al Museo, in "Gente Camuna", Breno, anno LII, n. 12, dicembre / December, p. 7.

Franca Ghitti. Le vie dell'acqua, intervista a / interview to E. Pontiggia, TGR Lombardia, Sirmione, 1 luglio / July.

J. Freccero, Il ferro e la passione, l'alfabeto di Franca Ghitti, in "Corriere della Sera", Milano, 28 marzo / March, p. 11.

R. Gentile (a cura di / edited by), Franca Ghitti. Le vie dell'acqua. Trenta sculture e installazioni, catalogo della mostra / exhibition catalog (Sirmione, Castello Scaligero, 30 giugno / June - 26 settembre / September), Quaderni dell'Archivio Franca Ghitti, n. 1, a cura di / edited by M.L. Ardizzone, Tipografia ColorArt, Rodengo Saiano.

R. Gentile, Le vie dell'acqua di Franca Ghitti, in R. Gentile (a cura di / edited by), Franca Ghitti. Le vie dell'acqua. Trenta sculture e installazioni, catalogo della mostra / exhibition catalog (Sirmione, Castello Scaligero, 30 giugno / June - 26 settembre / September), Tipografia ColorArt, Rodengo Saiano, pp. 27-31.

S. Grasso, Ghitti, il mondo d'acqua e ferro, in "Corriere della Sera", Milano, 11 agosto / August, p. 18.

P. Grieco, Il prof. Stefano Maria Giulini ricorda la "signora del ferro", intervista a / interview to S.M. Giulini, in "Giornale di Brescia", 13 marzo / March, p. 44.

W. Klein, in "Corriere della Sera", Brescia, 15 settembre / September.

F. Lorenzi, Franca Ghitti la passione messa in scena, in "Corriere della Sera", Brescia, 26 marzo / March, p. 11.

F. Lorenzi, Geometrie della corda, vie dell'acqua, rotte d'umanità, in R. Gentile (a cura di / edited by), Franca Ghitti. Le vie dell'acqua. Trenta sculture e installazioni, catalogo della mostra / exhibition catalog (Sirmione, Castello Scaligero, 30 giugno / June - 26 settembre / September), Tipografia ColorArt, Rodengo Saiano, pp. 41-46.

M. Meneguzzo, Del legno e del ferro in un castello, in R. Gentile (a cura di / edited by), Franca Ghitti. Le vie dell'acqua. Trenta sculture e installazioni, catalogo della

mostra / exhibition catalog (Sirmione, Castello Scaligero, 30 giugno / June - 26 settembre / September), Tipografia ColorArt, Rodengo Saiano, pp. 57-62.

E. Pontiggia (a cura di / edited by), Franca Ghitti, un'idea di libro (Milano, Biblioteca Comunale Centrale-Palazzo Sormani, Scalone Monumentale-Sala del Grechetto, 11 aprile / April-10 maggio / May).

A.L. Ronchi, Franca Ghitti, l'arte del ferro al Castello di Sirmione, in "Giornale di Brescia", 28 giugno / June, p. 47.

A. Troncana, Le onde di ferro di Franca Ghitti al castello Scaligero, in "Corriere della Sera", Brescia, 28 giugno / June, p. 11.

A. Troncana, Il soprintendente Alberti e l'esposizione sulla Ghitti a Sirmione: "Usava un linguaggio universale", in "Corriere della Sera", Brescia, 9 luglio / July, p. 9.

V. Zallot, Franca Ghitti: luce per la liturgia nella chiesa di Corti di Costa Volpino, in "Rivista dell'Istituto per la Storia dell'Arte Lombarda", Cesano Maderno, n. 10, ISAL ed., ottobre / October.

2014

E. Anati, Testimonianze, in G. Azzoni (a cura di / edited by), Omaggio a Franca Ghitti. Aperto_art on the border_laboratori e percorsi d'arte, progetto artistico del Distretto Culturale di Valle Camonica / artistic project by the Valle Camonica Cultural District (eventi svoltisi a / the event took place in Bienno, Erbanno, Breno, 28 maggio / May 2010 - 20 marzo / March 2011), La Compagnia della Stampa Massetti Rotella Editori, Roccafranca, p. 102.

Archivio Franca Ghitti, per custodirne un ideale, in "Corriere della Sera", Brescia, 12 gennaio / January, p. 10.

M.L. Ardizzone, Franca Ghitti, Vicinia: un luogo mentale, in G. Azzoni (a cura di / edited by), Omaggio a Franca Ghitti. Aperto_art on the border_laboratori e percorsi d'arte, progetto artistico del Distretto Culturale di Valle Camonica / artistic project by the Valle Camonica Cultural District (eventi svoltisi a / the event took place in Bienno, Erbanno, Breno, 28 maggio / May 2010 - 20 marzo / March 2011), La Compagnia della Stampa Massetti Rotella Editori, Roccafranca, pp. 64-70.

M.L. Ardizzone, "Scheiwiller e Franca, fra Africa e pitoti", in "Corriere della Sera", Brescia, 8 aprile / April, p. 9.

G. Azzoni (a cura di / edited by), Omaggio a Franca Ghitti. Aperto_art on the border_ laboratori e percorsi d'arte, progetto artistico del Distretto Culturale di Valle Camonica / artistic project by the Valle Camonica Cultural District (eventi svoltisi a / the event took place in Bienno, Erbanno, Breno, 28 maggio / May 2010 - 20 marzo / March 2011), La Compagnia della Stampa Massetti Rotella Editori, Roccafranca.

G. Azzoni, Segni e ritmi di una geografia umana, in G. Azzoni (a cura di / edited by), Omaggio a Franca Ghitti. Aperto_art on the border_laboratori e percorsi d'arte, progetto artistico del Distretto Culturale di Valle Camonica / artistic project by the Valle Camonica Cultural District (eventi svoltisi

a / the event took place in Bienno, Erbanno, Breno, 28 maggio / May 2010 - 20 marzo / March 2011), La Compagnia della Stampa Massetti Rotella Editori, Roccafranca, pp. 12-25.

G. Azzoni, Franca Ghitti. Opere pubbliche in Valle Camonica, in G. Azzoni (a cura di / edited by), Omaggio a Franca Ghitti. Aperto_art on the border_laboratori e percorsi d'arte, progetto artistico del Distretto Culturale di Valle Camonica / artistic project by the Valle Camonica Cultural District (eventi svoltisi a / the event took place in Bienno, Erbanno, Breno, 28 maggio / May 2010 - 20 marzo / March 2011), La Compagnia della Stampa Massetti Rotella Editori, Roccafranca, pp. 104-119.

G. Azzoni, La ferrarezza, in G. Azzoni (a cura di / edited by), G. Azzoni (a cura di / edited by), Omaggio a Franca Ghitti. Aperto_art on the border_laboratori e percorsi d'arte, progetto artistico del Distretto Culturale di Valle Camonica / artistic project by the Valle Camonica Cultural District (eventi svoltisi a / the event took place in Bienno, Erbanno, Breno, 28 maggio / May 2010 - 20 marzo / March 2011), La Compagnia della Stampa Massetti Rotella Editori, Roccafranca, pp. 126-129.

G. Azzoni, aperto2010_art on the border. Il progetto, in G. Azzoni (a cura di / edited by), Omaggio a Franca Ghitti. Aperto_art on the border_laboratori e percorsi d'arte, progetto artistico del Distretto Culturale di Valle Camonica / artistic project by the Valle Camonica Cultural District (eventi svoltisi a / the event took place in Bienno, Erbanno, Breno, 28 maggio / May 2010 - 20 marzo / March 2011), La Compagnia della Stampa Massetti Rotella Editori, Roccafranca, pp. 139-143.

G. Azzoni, aperto2010_art on the border. I luoghi di aperto, in G. Azzoni (a cura di / edited by), Omaggio a Franca Ghitti. Aperto_art on the border_laboratori e percorsi d'arte, progetto artistico del Distretto Culturale di Valle Camonica / artistic project by the Valle Camonica Cultural District (eventi svoltisi a / the event took place in Bienno, Erbanno, Breno, 28 maggio / May 2010 - 20 marzo / March 2011), La Compagnia della Stampa Massetti Rotella Editori, Roccafranca, pp. 144-149.

G. Azzoni, aperto_LAB. Tecnica, lavoro e nuovi linguaggi, in G. Azzoni (a cura di / edited by), Omaggio a Franca Ghitti. Aperto_art on the border_laboratori e percorsi d'arte, progetto artistico del Distretto Culturale di Valle Camonica / artistic project by the Valle Camonica Cultural District (eventi svoltisi a / the event took place in Bienno, Erbanno, Breno, 28 maggio / May 2010 - 20 marzo / March 2011), La Compagnia della Stampa Massetti Rotella Editori, Roccafranca, pp. 154-165.

G. Azzoni, M.A. Crippa, Le mani di Franca, in G. Azzoni (a cura di / edited by), Omaggio a Franca Ghitti. Aperto_art on the border_ laboratori e percorsi d'arte, progetto artistico del Distretto Culturale di Valle Camonica / artistic project by the Valle Camonica Cultural District (eventi svoltisi

a / the event took place in Bienno, Erbanno, Breno, 28 maggio / May 2010 - 20 marzo / March 2011), La Compagnia della Stampa Massetti Rotella Editori, Roccafranca, pp. 74-78.

D. Ballicco, *Industria e parola, la scultura di Franca Ghitti*, in "leparoleelecose.it", 14 novembre / November (http://www. leparoleelecose.it/?p=16740).

D. Balocco, C. Canzoni, *Franca Ghitti scultura tra industria e preistoria*, in "www. ilfattoquotidiano.it", 6 novembre / November (http://www.ilfattoquotidiano.it/2014/11/06/ franca-ghitti-scultura-tra-industria-e-preistoria/1194354/).

S. Bucci, *Rame, ceramica, ferro: la materia dell'arte*, in "Corriere della Sera", Milano, 28 settembre / September, p. 19.

G. Buzzi, *Testimonianze*, in G. Azzoni (a cura di / edited by), *Omaggio a Franca Ghitti. Aperto_art on the border_laboratori e percorsi d'arte*, progetto artistico del Distretto Culturale di Valle Camonica / artistic project by the Valle Camonica Cultural District (eventi svoltisi a / the event took place in Bienno, Erbanno, Breno, 28 maggio / May 2010 - 20 marzo / March 2011), La Compagnia della Stampa Massetti Rotella Editori, Roccafranca, p. 103.

A. Carrera, *Memoria del ferro / Iron Memory*, in G. Azzoni (a cura di / edited by), *Omaggio a Franca Ghitti. Aperto_art on the border_ laboratori e percorsi d'arte*, progetto artistico del Distretto Culturale di Valle Camonica / artistic project by the Valle Camonica Cultural District (eventi svoltisi a / the event took place in Bienno, Erbanno, Breno, 28 maggio / May 2010 - 20 marzo / March 2011), La Compagnia della Stampa Massetti Rotella Editori, Roccafranca, pp. 50-61.

Cedegolo. Nella sede del Musil, mostra di Franca Ghitti, in "Gente Camuna", Breno, anno LIII, n. 8/9, agosto-settembre / August-September, p. 3.

Cedegolo. Omaggio a Franca Ghitti, servizio di / report by L. Febbrari, in "TbNews" TeleBoario, Darfo Boario Terme, 12 ottobre / October.

M.A. Crippa, *Forme del tempo per luoghi di attuale ospitalità*, in G. Azzoni (a cura di / edited by), *Omaggio a Franca Ghitti. Aperto_art on the border_laboratori e percorsi d'arte*, progetto artistico del Distretto Culturale di Valle Camonica / artistic project by the Valle Camonica Cultural District (eventi svoltisi a / the event took place in Bienno, Erbanno, Breno, 28 maggio / May 2010 - 20 marzo / March 2011), La Compagnia della Stampa Massetti Rotella Editori, Roccafranca, pp. 98-100.

F. Della Mora, *Franca Ghitti. Ultima Cena (1963-2011). Un'installazione*, in "UltimaCena.com. Dati ed immagini relativamente al soggetto riguardante l'Ultima Cena di Gesù", Associazione Amici della Fondazione Ordine Mauriziano onlus, Torino, 19 marzo / March (http://www.ultimacena. com/franca-ghitti-ultima-cena-1963-2011-uninstallazione/).

E. Flocchini, *Franca Ghitti, il film di una vita scolpita sulle strade dell'arte*, in "Corriere della Sera", Brescia, 13 febbraio / February, p. 12.

E. Flocchini, *Darfo e Milano, doppio omaggio alla Ghitti*, in "Corriere della Sera", Brescia, 18 marzo / March, p. 9.

E. Flocchini, *E le radici del ferro si fusero in nuova arte*, in "Corriere della Sera", Brescia, 25 ottobre / October, p. 13.

Franca Ghitti, servizio / report in "TGR Lombardia", 7 novembre / November.

Franca Ghitti. Ultima Cena. Un'installazione 1963-2011, catalogo della mostra / exhibition catalog (Milano, Villa Clerici, Galleria d'Arte Sacra dei Contemporanei, 20 marzo / March-19 luglio / July), con un testo di / with a text by E. Pontiggia.

G. Galli, *Franca Ghitti, ferro e legno in dialogo col mondo*, in "Giornale di Brescia", 12 luglio / July, p. 49.

F. Ghitti, *Testimonianze*, in G. Azzoni (a cura di / edited by), *Omaggio a Franca Ghitti. Aperto_art on the border_laboratori e percorsi d'arte*, progetto artistico del Distretto Culturale di Valle Camonica / artistic project by the Valle Camonica Cultural District (eventi svoltisi a / the event took place in Bienno, Erbanno, Breno, 28 maggio / May 2010 - 20 marzo / March 2011), La Compagnia della Stampa Massetti Rotella Editori, Roccafranca, p. 102.

F. Giuliani, *Milano: Franca Ghitti "Ultima Cena 1963-2011"*, in "giornaledelgarda.info", Brescia, 10 luglio / July (http://www. giornaledelgarda.info/milano-franca-ghitti-ultima-cena-1963-2011/).

F. Lorenzi, *Fatiche e idee, scorie e astrazioni*, in F. Lorenzi, M. Meneguzzo (a cura di / edited by), *Franca Ghitti. Ferro_terra_fuoco_legna. Sculture_installazioni*, catalogo della mostra / exhibition catalog (Cedegolo, musil – Museo dell'energia idroelettrica di Valle Camonica, 11 luglio / July - 2 novembre / November), in collaborazione con / in collaboration with Fondazione Archivio Franca Ghitti, Tipografia Color Art, Brescia, pp. 12-19.

F. Lorenzi, *Franca Ghitti. Segni d'incontro per la Valle Camonica*, in G. Azzoni (a cura di / edited by), *Omaggio a Franca Ghitti. Aperto_art on the border_laboratori e percorsi d'arte*, progetto artistico del Distretto Culturale di Valle Camonica / artistic project by the Valle Camonica Cultural District (eventi svoltisi a / the event took place in Bienno, Erbanno, Breno, 28 maggio / May 2010 - 20 marzo / March 2011), La Compagnia della Stampa Massetti Rotella Editori, Roccafranca, pp. 28-47.

F. Lorenzi, M. Meneguzzo (a cura di / edited by), *Franca Ghitti. Ferro_terra_fuoco_legna. Sculture_installazioni*, catalogo della mostra / exhibition catalog (Cedegolo, musil – Museo dell'energia idroelettrica di Valle Camonica, 11 luglio / July - 2 novembre / November), in collaborazione con / in collaboration with Fondazione Archivio Franca Ghitti, Tipografia Color Art, Brescia.

A. Mamè, *Testimonianze*, in G. Azzoni (a cura di / edited by), *Omaggio a Franca Ghitti. Aperto_art on the border_laboratori e percorsi d'arte*, progetto artistico del Distretto Culturale di Valle Camonica / artistic project by the Valle Camonica Cultural District (eventi svoltisi a / the event took place in Bienno, Erbanno,

Breno, 28 maggio / May 2010 - 20 marzo / March 2011), La Compagnia della Stampa Massetti Rotella Editori, Roccafranca, p. 103.

M. Meneguzzo, *Matrix*, in F. Lorenzi, M. Meneguzzo (a cura di / edited by), *Franca Ghitti. Ferro_terra_fuoco_legna. Sculture_installazioni*, catalogo della mostra / exhibition catalog (Cedegolo, musil – Museo dell'energia idroelettrica di Valle Camonica, 11 luglio / July - 2 novembre / November), in collaborazione con / in collaboration with Fondazione Archivio Franca Ghitti, Tipografia Color Art, Brescia, pp. 20-23.

P. Petraroia, *Testimonianze*, in G. Azzoni (a cura di / edited by), *Omaggio a Franca Ghitti. Aperto_art on the border_laboratori e percorsi d'arte*, progetto artistico del Distretto Culturale di Valle Camonica / artistic project by the Valle Camonica Cultural District (eventi svoltisi a / the event took place in Bienno, Erbanno, Breno, 28 maggio / May 2010 - 20 marzo / March 2011), La Compagnia della Stampa Massetti Rotella Editori, Roccafranca, p. 103.

P.P. Poggio, *Franca Ghitti al Musil*, in F. Lorenzi, M. Meneguzzo (a cura di / edited by), *Franca Ghitti. Ferro_terra_fuoco_legna. Sculture_installazioni*, catalogo della mostra / exhibition catalog (Cedegolo, musil – Museo dell'energia idroelettrica di Valle Camonica, 11 luglio / July - 2 novembre / November), in collaborazione con / in collaboration with Fondazione Archivio Franca Ghitti, Tipografia Color Art, Brescia, pp. 8-11.

P.P. Poggio, *Ghitti, l'operaia della scultura*, in "Corriere della Sera", Brescia, 8 luglio / July, p. 9.

F. Roman, *Al Musil tre incontri dedicati a Franca Ghitti*, in "Giornale di Brescia", 2 ottobre / October, p. 13.

Sacro e fatica nell'Ultima Cena di Franca Ghitti, in "Giornale di Brescia", 8 marzo / March, p. 53.

F. Scarduelli, *"Franca Ghitti internazionale e locale sempre, provinciale mai"*, in "Giornale di Brescia", 10 novembre / November, p. 18.

A. Troncana, *Quegli alberi di ferro con radici nel mondo*, in "Corriere della Sera", Brescia, 2 ottobre / October, p. 15.

Ultima cena della Ghitti da giovedì in mostra, in "Bresciaoggi", 18 marzo / March, p. 39.

M. Vitale, *Quell'Ultima cena moderna custodita a Villa Clerici*, in "Il Giorno", Milano, 4 aprile / April.

G.M. Walch, *Quell'austera "Ultima Cena" con posate*, in "Il Giorno", Milano, 21 marzo / March.

V. Zallot, *Ultima Cena_Pagina chiodata. Chiesa di San Gottardo*, in G. Azzoni (a cura di / edited by), *Omaggio a Franca Ghitti. Aperto_art on the border_laboratori e percorsi d'arte*, progetto artistico del Distretto Culturale di Valle Camonica / artistic project by the Valle Camonica Cultural District (eventi svoltisi a / the event took place in Bienno, Erbanno, Breno, 28 maggio / May 2010 - 20 marzo / March 2011), La Compagnia della Stampa Massetti Rotella Editori, Roccafranca, pp. 82-92.

V. Zallot, *Santelle. Cimitero di San Martino*, in G. Azzoni (a cura di / edited by), *Omaggio a Franca Ghitti. Aperto_art on the border_laboratori e percorsi d'arte*, progetto artistico del Distretto Culturale di Valle Camonica / artistic project by the Valle Camonica Cultural District (eventi svoltisi a / the event took place in Bienno, Erbanno, Breno, 28 maggio / May 2010 - 20 marzo / March 2011), La Compagnia della Stampa Massetti Rotella Editori, Roccafranca, pp. 94-95.

E. Zupelli, *Musil, il tributo a Franca Ghitti raddoppia*, in "Bresciaoggi", 2 ottobre / October, p. 41.

2015

R. Cotti Banti, *Franca Ghitti. Due sculture ai Vaticani*, in "Corriere della Sera", Brescia, 11 gennaio / January, p. 14.

R. Cotti Banti, *"Ha trasformato in arte i materiali del lavoro"*, in "Corriere della Sera", Brescia, 11 gennaio / January, p. 14.

R. Cotti Banti, *Museo Archivio, pronto il progetto per Cellatica*, in "Corriere della Sera", Brescia, 11 gennaio / January, p. 14.

F. De Leonardis, *L'Ultima Cena di Franca Ghitti*, in "Bresciaoggi", 18 giugno / June.

Expo, l'Ultima cena di Franca Ghitti "apparecchiata" in Cattolica, in "Corriere della Sera - Redazione Online" (http://brescia. corriere.it/notizie/cronaca/15_giugno_15/expo-l-ultima-cena-franca-ghitti-apparecchiata-cattolica-a3f8c65c-1373-11e5-8f7b-8677cfd62f52.shtml).

G. Galli, *Franca Ghitti, mostra monografica ai Musei Vaticani*, in "Giornale di Brescia", 19 gennaio / January, p. 18.

F. Lorenzi, *Franca Ghitti. Alle radici dell'esistenza*, in "Corriere della Sera", Brescia, 4 aprile / April, p. 14.

2016

T. Bino, *L'arte senza età di Franca Ghitti*, in "Corriere della Sera", Brescia, 10 aprile / April, p. 8.

M. Cacciari, *Europe and Empire On Political Forms of Globalization*, a cura di / edited by M. Verdicchio, Fordham University Press, New York (in copertina / cover: Franca Ghitti, *Throne*, foto / photo by Fabio Cattabiani).

F. Lorenzi, *Brescia: cronache d'arte, d'artisti e dintorni dal 1945 a oggi*, Edizioni aab, Brescia.